LOVE AND THE CITY

Langues pour tous

Collection dirigée par Jean-Pierre Berman, Michel Marcheteau et Michel Savio

---

ANGLAIS Série bilingue

Niveaux : ❏ facile ❏❏ moyen ❏❏❏ avancé

<table>
<tr><td colspan="2">

Littérature anglaise et irlandaise

</td><td colspan="2">

Ouvrages thématiques

</td></tr>
</table>

Littérature anglaise et irlandaise	Ouvrages thématiques
• **Carroll (Lewis)** ❏ Alice au pays des merveilles	• L'humour anglo-saxon ❏ • 300 blagues britanniques et américaines ❏❏
• **Churchill (Winston)** ❏❏ Discours de guerre 1940-1946	**Littérature américaine**
• **Cleland (John)** ❏❏❏ Fanny Hill	• **Bradbury (Ray)** ❏❏ Nouvelles
• **Conan Doyle** ❏ Nouvelles (6 volumes)	• **Chandler (Raymond)** ❏❏ Les ennuis c'est mon problème
• **Dickens (Charles)** ❏❏ David Copperfield Un conte de Noël	• **Hammett (Dashiell)** ❏❏ Meurtres à Chinatown
• **Fleming (Ian)** ❏❏ James Bond en embuscade	• **Highsmith (Patricia)** ❏❏ Crimes presque parfaits
• **French (Nicci)** ❏ Les gens qui sont partis	• **Hitchcock (Alfred)** ❏❏ Voulez-vous tuer avec moi ?
• **Greene (Graham)** ❏❏ Nouvelles	• **King (Stephen)** ❏❏ Nouvelles
• **Jerome K. Jerome** ❏❏ Trois hommes dans un bateau	• **Poe (Edgar)** ❏❏❏ Nouvelles
• **Kinsella (Sophie), Weisberger (Lauren)** Love and the City ❏	• **London (Jack)** ❏❏ Histoires du grand Nord Contes des mers du Sud
• **Kipling (Rudyard)** ❏ Le livre de la jungle (extraits)	• **Fitzgerald (Scott)** Un diamant gros comme le Ritz ❏❏ L'étrange histoire de Benjamin Button ❏
• **Mansfield (Katherine)** ❏❏❏ Nouvelles	
• **Masterton (Graham)** ❏❏ Nouvelles	**Anthologies**
• **Maugham (Somerset)** ❏ Nouvelles brèves	• Nouvelles US/GB ❏❏ (2 vol.) • Les grands maîtres du fantastique ❏❏
• **McCall Smith (Alexander)** Contes africains ❏	• Nouvelles américaines classiques ❏❏
• **Stevenson (Robert Louis)** ❏❏ L'étrange cas du Dr Jekyll et de Mr Hyde	• Nouvelles anglaises classiques ❏❏
• **Wilde (Oscar)** Nouvelles ❏ Il importe d'être constant ❏	• Ghost Stories – Histoires de fantômes ❏❏
• **Woodhouse (P.G.)** Jeeves, occupez-vous de ça ! ❏❏	• Histoires diaboliques ❏❏

Autres langues disponibles dans les séries de la collection

Langues pour tous

ALLEMAND · AMÉRICAIN · ARABE · CHINOIS · ESPAGNOL · FRANÇAIS · GREC · HÉBREU
ITALIEN · JAPONAIS · LATIN · NÉERLANDAIS · OCCITAN · POLONAIS · PORTUGAIS
RUSSE · TCHÈQUE · TURC · VIETNAMIEN

LOVE AND THE CITY

Sophie Kinsella

Changing People

Les gens changent

*

Lauren Weisberger

The Bamboo Confessions

Les confessions de bambou

Traduction et notes
par
Aurore Mennella-Grammont

4e édition

Pocket, une marque d'Univers Poche,
est un éditeur qui s'engage pour la
préservation de son environnement et
qui utilise du papier fabriqué à partir
de bois provenant de forêts gérées de
manière responsable.

© 2011, Éditions Pocket – Langues pour Tous, département d'Univers Poche,
pour la traduction, les notices biographiques et les notes.
© 2001, Sophie Kinsella
© 2004, Lauren Weisberger
ISBN : 978-2-266-20848-2

Sommaire

Prononciation

Sons voyelles

[ɪ] **pit**, un peu comme
le *i* de *site*

[æ] **flat**, un peu comme
le *a* de *patte*

[ɒ] ou [ɔ] **not**, un peu comme
le *o* de *botte*

[ʊ] ou [u] **put**, un peu comme
le *ou* de *coup*

[e] **lend**, un peu comme
le *è* de *très*

[ʌ] **but**, entre le *a* de *patte*
et le *eu* de *neuf*

[ə] jamais accentué, un peu
comme le *e* de *le*

Voyelles longues

[iː] **meet** [miːt], cf. *i*
de *mie*

[ɑː] **farm** [fɑːʳm], cf. *a*
de *larme*

[ɔː] **board** [bɔːʳd], cf. *o*
de *gorge*

[uː] **cool** [kuːl], cf. *ou*
de *mou*

[ɜː] ou [əː] **firm** [fəːʳm], cf. *eu*
de *peur*

Semi-voyelle

[j] **due**, [djuː],
un peu comme *diou...*

Diphtongues (voyelles doubles)

[aɪ] **my** [maɪ], cf. *aïe !*

[ɔɪ] **boy** [bɔɪ], cf. *oyez !*

[eɪ] **blame** [bleɪm], cf. *eille*
dans *bouteille*

[aʊ] **now** [naʊ], cf. *aou*
dans *caoutchouc*

[əʊ] ou [əu] **no** [nəʊ],
cf. *e + ou*

[ɪə] **here** [hɪəʳ], cf. *i + e*

[ɛə] **dare** [dɛəʳ], cf. *é + e*

[ʊə] ou [uə] **tour**, [tʊəʳ],
cf. *ou + e*

Consonnes

[θ] **thin** [θɪn], cf. *s* sifflé
(langue entre les dents)

[ð] **that** [ðæt], cf. *z* zézayé
(langue entre les dents)

[ʃ] **she** [ʃiː], cf. *ch* de *chute*

[ŋ] **bring** [brɪŋ], cf. *ng*
dans *ping-pong*

[ʒ] **measure** ['meʒəʳ], cf. le *j*
de *jeu*

[h] le *h* se prononce ;
il est nettement expiré

Accentuation

ˈ – accent unique ou principal, comme dans MOTHER ['mʌðəʳ]

ˌ – accent secondaire, comme dans PHOTOGRAPHIC [ˌfəutɔˈgræfɪk]

ʳ indique que le **r**, normalement muet, est prononcé en liaison ou en américain

Comment utiliser la série « Bilingue »

Cet ouvrage de la série « Bilingue » permet au lecteur :

- d'avoir accès aux versions originales de nouvelles célèbres en anglais, et d'en apprécier, dans les détails, la forme et le fond ;

- d'améliorer sa connaissance de l'anglais, en particulier dans le domaine du vocabulaire dont l'acquisition est facilitée par l'intérêt même du récit, et le fait que mots et expressions apparaissent en situation dans un contexte, ce qui aide à bien cerner leur sens.

Cette série constitue donc une véritable méthode d'auto-enseignement, dont le contenu est le suivant :

- page de gauche, le texte anglais ;

- page de droite, la traduction française ;

- bas des pages de gauche et de droite, une série de notes explicatives (vocabulaire, grammaire, etc.).

Les notes de bas de page aident le lecteur à distinguer les mots et expressions idiomatiques d'un usage courant, et qu'il lui faut mémoriser, de ce qui peut être trop exclusivement lié aux événements et à l'art de l'auteur.

Il est conseillé au lecteur de lire d'abord l'anglais, de se reporter aux notes et de ne passer qu'ensuite à la traduction ; sauf, bien entendu, s'il éprouve de trop grandes difficultés à suivre le récit dans ses détails, auquel cas il lui faut se concentrer davantage sur la traduction, pour revenir finalement au texte anglais, en s'assurant bien qu'il en a maintenant maîtrisé le sens.

Principales abréviations utilisées dans les notes

adj.	adjectif
adv.	adverbe
am.	américain
br.	britannique
conj.	conjonction
ex.	exemple
fam.	familier
litt.	littéralement
péj.	péjoratif
pl.	pluriel
prép.	préposition
qqch	quelque chose
qqn	quelqu'un
sb	somebody
sth	something
sing.	singulier
subs.	substantif

Présentation des auteurs

Sophie Kinsella, de son vrai nom **Madeleine Wickham**, est une romancière anglaise née en 1969 à Londres.

Elle fait ses études au New College d'Oxford et commence sa carrière comme journaliste financière.

Elle publie son premier roman à l'âge de 24 ans, sous son véritable nom. Elle est aujourd'hui connue dans le monde entier pour sa série culte des aventures de *L'accro du shopping*, adaptées au cinéma en mai 2009. Les cinq titres de cette série (*Confessions d'une accro du shopping*, *L'accro du shopping à Manhattan*, *L'accro du shopping dit oui*, *L'accro du shopping a une sœur*, *L'accro du shopping attend un bébé*) et tous les autres grands succès de l'auteur sont disponibles chez Pocket.

Sophie Kinsella vit actuellement à Londres avec son mari et ses quatre fils.

Lauren Weisberger est une romancière américaine née en 1977 en Pennsylvanie.

Après avoir obtenu son diplôme d'anglais à l'université de Cornell en 1999, elle part pour un tour du monde et traverse l'Europe, Israël, l'Égypte, la Jordanie, la Thaïlande, l'Inde et Hong-Kong.

À son retour aux États-Unis, elle s'installe à Manhattan et est embauchée comme assistante personnelle d'Anna Wintour, rédactrice en chef de *Vogue US*, considérée comme la grande prêtresse de la mode. C'est cette expérience qui lui inspire son premier roman, *Le diable s'habille en Prada* (paru en 2003 aux États-Unis et en 2004 en France, Fleuve Noir). Le film (sorti en 2006) a eu, comme le livre, un succès retentissant.

Lauren Weisberger est l'auteur de deux autres romans : *People or not people* et *Sexe, diamants et plus si affinités* (disponibles chez Pocket). Son quatrième roman, *Stiletto Blues à Hollywood*, paraîtra chez Pocket en novembre 2011.

Sophie Kinsella

Changing People

Les gens changent

So we're sitting in front of *Changing Rooms*[1], eating pizza, and Fizz my flatmate[2] is deciding what she might do with her life. Fizz is what you would describe as 'between jobs', if she'd never had one. She's got a sheet[3] of paper and a list of 'possibles' which so far consists of 'corporate trouble-shooter[4]' and 'taste-tester for Cadburys', both crossed out[5].

'OK, what about… aromatherapist?' she exclaims. 'I love all that kind of stuff. Massage, facials…'

'That would be good,' I say. 'You'd have to train[6], though. And buy all the oils.'

'Really?' She pulls a face[7]. 'How much are they?'

'About… three quid[8] each? Four, maybe?'

I'm not really concentrating on her – I'm looking at some people from Sevenoaks whose living room has just been transformed from chintzy[9] blue into sleek[10], pale minimalism.

Their faces remind me of my parents when they came to meet me at the airport, after it had happened. They had the same wary[11] eyes; the same mixture of anxiety and relief; the same initial shock, which they tried to mask beneath[12] welcoming smiles. They gazed at[13] me, searching for signs of the old Emma – as these owners are peering[14] disorientedly around their room, wondering[15] where the curtains have gone.

---

1. *Changing Rooms* est une émission sur la décoration intérieure diffusée à la télévision anglaise, sur la BBC, entre 1996 et 2004. Le principe était que deux couples échangent leurs maisons et refassent une pièce. Nous avons choisi de traduire le titre de cette émission par *Une semaine pour tout changer*, en référence à l'émission de décoration française diffusée sur M6 depuis 2006.

Noter l'écho entre le titre de la nouvelle *Changing People* et le nom de l'émission *Changing Rooms* : les gens changent comme la décoration intérieure d'un logement… et parfois on regrette l'ancien décor….

2. **flatmate** (br.) = *colocataire* de **flat** = *appartement* et **mate** = *compagnon*, que l'on retrouve dans **classmate** (= *camarade de classe*) ou **roommate** (= *camarade de chambre*).

3. **sheet** [ʃiːt] = *feuille (de papier), drap* ; à ne pas confondre avec **shit** [ʃɪt] = *merde*.

4. **trouble-shooter** = *médiateur, personne chargée d'identifier les problèmes, les dysfonctionnements et de les résoudre* ; de **trouble** = *problème, difficulté* et **shooter** = *tireur, chasseur* (**to shoot** = *tirer avec une arme à feu*).

Donc nous sommes assises là, à regarder *Une semaine pour tout changer* en mangeant une pizza, et Fizz, ma colocataire, essaie de décider de ce qu'elle devrait faire de sa vie. Fizz est comme qui dirait « entre deux boulots », si tant est qu'elle en ait jamais eu un. Elle a une feuille de papier et une liste de « possibles » qui, jusqu'ici, se résume à « médiateur en entreprise » et « testeur de saveurs pour Cadbury », barrés tous les deux.

— OK, qu'est-ce que tu penses de... aromathérapeute ? s'exclame-t-elle. J'adore tous ces trucs. Les massages, les soins du visage...

— Ce serait bien, dis-je. Mais il faudrait que tu te formes. Et que tu achètes toutes les huiles.

— Ah bon ? (Elle fait une grimace.) Combien ça coûte ?

— Dans les... trois livres pièce ? Quatre, peut-être ?

Je ne suis pas vraiment concentrée sur elle – je regarde une famille de Sevenoaks dont le salon vient juste de passer d'une décoration chintz bleu à un minimalisme pâle et brillant.

Leurs visages me rappellent mes parents quand ils sont venus me chercher à l'aéroport, après l'accident. Ils avaient les mêmes yeux circonspects ; le même mélange d'anxiété et de soulagement ; le même choc initial, qu'ils essayaient de cacher derrière des sourires de bienvenue. Ils me regardaient, à la recherche de traces de l'ancienne Emma – comme ces propriétaires qui regardent partout dans leur salon, complètement déboussolés, en se demandant où sont passés leurs rideaux.

---

5. **to cross out** = *rayer, biffer, barrer* (**to cross** = *croiser*).

6. **to train** = *former, instruire* ; **training** = *formation, entraînement* ; **trainee** = *stagiaire*.

7. **to pull a face** = *faire une grimace* ; **to pull** = *tirer*.

8. **quid** (br., argot) = **pound** = *livre sterling* ; **buck** (am., argot) = *dollar*.

9. **chintzy** (adj.) de **chintz** : toile de coton glacée imprimée typiquement britannique (utilisée notamment pour les rideaux).

10. **sleek** (adj.) = *lisse et brillant, tape-à-l'œil*.

11. **wary** (adj.) = *avisé, prudent, circonspect* ; **to be wary of something** = *se méfier de qqch*.

12. **beneath** = (adv.) *dessous*, (prép.) = *sous*.

13. **to gaze at sb/sth** = *regarder fixement qqn ou qqch*.

14. **to peer at sb/sth** = *scruter qqn ou qqch du regard*.

15. **to wonder** = *se demander* ; à ne pas confondre avec **to wander** = *errer, se promener au hasard*.

'I can't believe the transformation!' someone is exclaiming. 'In such a[1] short time!'

I was away for ten months in all. Plus the two months in hospital. A year to change a person. Linda Barker[2] would do it quicker.

I open my mouth to say something about this to Fizz. Something about change, about growing up. But she's gesticulating wildly[3], her mouth full of pizza. She often does this, Fizz. Monopolizes airtime[4]. *I'm thinking – therefore no one else may speak.*

'I've got it!' she says at last[5]. 'I'll be an interior designer!'

'An interior designer!' I echo, trying to hit the right note of support[6]. 'Do you know anything about interior design?'

'You don't have to know anything!' She gestures to the screen. 'Look at that. It's easy!'

'I wouldn't say "easy" exactly...'

'All you need is loads of pots of lilac[7] paint and some MDF[8]...'

'Oh, really?' I raise my eyebrows. 'So what does MDF stand for, then?' Fizz shoots[9] me a cross[10] look.

'It stands for... micro... dynamic... federal... Anyway, that's not the point. I won't be bloody[11] Handy Andy[12], will I? I'll be the person with creative vision and flair.'

---

1. **such a** (adv.) = *si, tellement.* Ex. : **we had such a good time** = *on s'est tellement amusés*; **it was such a long time ago** = *c'était il y a si longtemps.*

2. **Linda Barker** est décoratrice d'intérieur; elle a présenté l'émission *Changing Rooms* entre 1996 et 2004.

3. **wildly** (adv.) = *frénétiquement, comme un fou*; de **wild** (adj.) = *sauvage.*

4. **airtime** = *temps d'antenne* (radio, télévision). Ex. : **five minutes to airtime** = *on est à l'antenne dans cinq minutes.*

5. **at last** (adv.) = *enfin*; **last** (adj.) = *dernier.*

6. **trying to hit the right note of support** = litt. *en essayant d'atteindre la bonne note de soutien.*

7. **lilac** (fleur, arbre, couleur) = *lilas.*

8. **MDF = Medium Density Fiberboard**, s'emploie également en français pour désigner une qualité de bois (panneau de fibres à moyenne densité

— C'est incroyable ! Quelle transformation ! s'exclame quelqu'un. En si peu de temps !

Je n'ai pas été là pendant dix mois en tout. Plus les deux mois à l'hôpital. Une année pour changer quelqu'un. Linda Barker ferait ça plus vite.

J'ouvre la bouche pour dire quelque chose à ce propos à Fizz. Quelque chose à propos du changement, du passage à l'âge adulte. Mais elle est en train de gesticuler comme une folle, la bouche pleine de pizza. Elle fait souvent ça, Fizz. Monopoliser le temps d'antenne. *Je pense, donc personne d'autre ne doit parler.*

— J'ai trouvé ! dit-elle enfin. Je vais être décoratrice d'intérieur !

— Décoratrice d'intérieur ! répété-je, en essayant de trouver le bon ton de soutien. Tu connais quelque chose à la décoration d'intérieur ?

— Il n'y a rien à savoir ! (Elle montre l'écran de télé.) Regarde ça. C'est facile !

— Je ne dirais pas « facile », pas exactement...

— Tout ce qu'il faut, c'est des tas de pots de peinture lilas et du MDF...

— Tu crois ? (Je hausse les sourcils.) Et qu'est-ce que ça veut dire MDF, alors ?

Fizz me fusille du regard.

— Ça veut dire... micro... dynamique... fédéral... De toute façon, c'est pas la question. Je ne veux pas être ce foutu Manu le manuel, OK ? Je serai la personne qui a la vision créative et le flair.

---

ou médium) couramment utilisé pour l'aménagement intérieur, l'industrie du meuble et l'agencement de bureaux, de commerces....

9. **to shoot** (**shot, shot**) = *tirer (avec une arme à feu)* ; ici, employé métaphoriquement : *fusiller du regard*.

10. **cross** = *fâché* ; **to be cross with sb** = *en vouloir à qqn*.

11. **bloody** (adj.) = *ensanglanté* (de **blood** = *sang*) mais aussi (fam.) = *foutu, sacré,* comme ici.

12. **Handy Andy Kane**, menuisier de formation, participait également à l'émission *Changing Rooms*. Noter le jeu de mots sur son prénom **handy** (de **hand** = *main*) = *habile, adroit de ses mains* que nous avons transposé en « Manu le manuel ».

I roll my eyes and take a swig[1] of wine. I know I should be more supportive[2]. But the thing is, I *have* been more supportive. I was supportive all through the writing-a-film-script phase, the opening-a-dancing-school phase and 'Dial[3]-A-Dessert – we'll deliver[4] a freshly made pudding to your door!'. That last one might actually have been a winner if we hadn't ended up buying ingredients worth[5] about two hundred pounds in order to deliver one small trifle[6] to West Norwood.

I say 'we', by the way, because somehow[7] I always end up getting dragged[8] into Fizz's little schemes[9].

'Fizz – listen – why does it always have to be some great entrepreneurial plan? Why don't you get a job?'

'Get a job?' she says, as though[10] I'm mad. 'Everyone knows it's impossible to get jobs these days.'

'It's not impossible. You get a paper[11], look through the adverts[12] –'

'Oh right. Easy. So I'll just apply for[13]…' she grabs the *Evening Standard*[14]. 'For… Product Unit Manager (retail), shall I? Look, I get a company car, and a pension. Ooh, goody[15].'

'Not that sort of job…'

---

1. **swig** (subs.) = *lampée, gorgée* ; **to swig** = *boire à grands traits*.

2. **supportive** (adj.) = *qui soutient, qui aide* de **to support** = *soutenir*.

3. **to dial** [daɪəl] = *composer/faire un numéro de téléphone* ; **dial** (subs.) = *cadran*.

4. **to deliver** = *livrer, distribuer* ; **delivery** = *livraison*.

5. **to be worth** = *valoir*. Ex. : **it's worth knowing** = *c'est bon à savoir* ; **it's not worth anything** = *ça ne vaut rien*.

6. **trifle** = *broutille, bricole, petite somme d'argent*.

7. **somehow** (adv.) = *d'une façon ou d'une autre, pour une raison ou une autre*.

8. **to drag** = *traîner, tirer (de force)*.

9. **scheme** (subs.) = *arrangement, système, projet, magouille*.

10. **as though** (conj.) = *comme si* ; **though** (conj.) = *quoique* ; **though** (adv.) = *cependant, pourtant*.

Je roule les yeux et prends une gorgée de vin. Je sais que je devrais la soutenir un peu plus. Mais la vérité, c'est que je l'ai déjà beaucoup soutenue. Je l'ai soutenue pendant sa phase « j'écris un scénario de film », sa phase « j'ouvre une école de danse » et celle « Dessert-sur-commande – nous vous livrons un pudding tout chaud à votre porte » ! Celle-ci aurait effectivement pu être LA bonne idée, si nous n'avions pas fini par acheter pour environ deux cents livres d'ingrédients pour ne livrer qu'une petite bricole à West Norwood.

Je dis « nous », à propos, parce que d'une manière ou d'une autre, je finis toujours par me retrouver mêlée de force aux petites combines de Fizz.

— Fizz – écoute – pourquoi faut-il toujours que tu te lances dans de grands projets d'entreprise ? Pourquoi est-ce que tu ne cherches pas du travail ?

— Chercher du travail ? dit-elle, comme si j'étais folle. Tout le monde sait que c'est impossible de trouver du travail en ce moment.

— Ce n'est pas impossible. Tu prends un journal, tu regardes les annonces...

— Oh d'accord. Facile. Je vais postuler comme... (Elle attrape l'*Evening Standard*.) Comme... Chef de produit grande distribution, non ? Regarde, j'aurai une voiture de fonction et une retraite. Oh chouette !

— Pas ce genre de travail...

---

11. **paper** = *papier, document écrit* mais aussi *journal* (**newspaper**) comme ici.

12. **advert** (subs. br.) = **advertisement** = *publicité, (petite) annonce.*

13. **to apply** = *appliquer* mais aussi *faire une demande* (de bourse, de subvention...), *poser* sa *candidature* (à un emploi).

14. L'*Evening Standard* est un quotidien publié à Londres du lundi au vendredi depuis 1827. C'est le principal quotidien régional du soir pour Londres et le Sud-Est de l'Angleterre ; il présente les informations nationales et internationales en insistant sur la vie à Londres.

15. **goody !** = *chouette !*

'It's all right for you! You're still a student!'

'Yes,' I say patiently, 'and when I finish my thesis, I'll get a job.'

'Yeah well…' She sighs[1]. 'God, it's all such bloody hard work, isn't it? I mean look at her.' She gestures at Mrs Sevenoaks. 'I wish[2] I could just get married and do nothing.' She takes a thoughtful[3] bite[4] of pizza. 'Hey, Emma, when you were engaged[5], were you going to give up[6] work?'

'No,' I say after a pause. 'No I wasn't.' And before she can ask anything else, I change the subject.

There's a lot of things I don't talk about to Fizz. In fact, there's a lot of things I don't talk about to anyone. Part of me is afraid that if I once[7] started talking, I'd never stop.

I was twenty-two and thought I owned the world. The first time he asked me to marry[8] him, I laughed in his face. The second time, I shrugged[9], the third time I agreed. We bought a ring; he talked to my parents. But I couldn't take it seriously. Even when he was telling me he loved me, I barely[10] listened. I used to[11] act like a spoilt[12] kid[13] around him. It was like the time my parents gave me a watch for my seventh birthday.

---

1. **to sigh** [saɪ] = *soupirer*; **to sigh with relief** = *pousser un soupir de soulagement*.

2. **wish** + vb conjugué au prétérit = *vouloir quelque chose d'impossible*. Ex. : **I wish I had seen it !** = *j'aurais bien voulu voir ça !*

3. **thoughtful** = *pensif*, mais aussi *attentionné, gentil*.

4. **bite** (subs.) = *morsure, piqûre (d'insecte)*, mais aussi *bouchée, morceau*; **to bite (bit, bitten)** = *mordre*.

5. **engaged** = *fiancé*; **an engagement ring** = *une bague de fiançailles*.

6. **to give up** = *abandonner, renoncer*; **to give** = *donner*; en anglais, il existe de nombreux « phrasal verbs » composés d'un verbe + une postposition ; ces postpositions modifient, parfois légèrement, parfois complètement (comme ici), le sens du verbe qu'elles accompagnent.

7. **once** = *une fois, autrefois*; **at once** = *tout de suite*; **once** (conj.) = *une fois que*.

— Tu n'as pas de problème, toi ! Tu es encore étudiante !

— C'est vrai, réponds-je patiemment, et quand j'aurai fini ma thèse, je chercherai du travail.

— Oui, bon... soupire-t-elle. Mon Dieu, tout ça, c'est vraiment un sacré boulot, non ? Je veux dire, regarde-la. (Elle montre Mme Sevenoaks.) Je voudrais juste me marier et ne rien faire. (Elle mord dans sa pizza d'un air pensif.) Hé, Emma, quand tu étais fiancée, est-ce que tu avais l'intention d'arrêter de travailler ?

— Non, dis-je après une pause. Non, je n'en avais pas l'intention.

Et avant qu'elle puisse poser une question, je change de sujet.

Il y a beaucoup de choses dont je ne parle pas avec Fizz. En fait, il y a beaucoup de choses dont je ne parle avec personne. Une partie de moi craint que si un jour je commençais à parler, je ne puisse plus m'arrêter.

J'avais vingt-deux ans et je pensais que le monde m'appartenait. La première fois qu'il m'a demandé de l'épouser, je lui ai ri au nez. La deuxième fois, j'ai haussé les épaules, la troisième fois, j'ai dit oui. Nous avons acheté une bague ; il a parlé à mes parents. Mais je n'arrivais pas à prendre tout ça au sérieux. Même quand il me disait qu'il m'aimait, j'écoutais à peine. J'avais l'habitude de me comporter en enfant gâtée avec lui. C'était comme la fois où mes parents m'avaient offert une montre pour mes sept ans.

---

8. **to marry sb** = *se marier avec qqn* (NB : pas de préposition en anglais).

9. **to shrug one's shoulders** = *hausser les épaules*. NB : redoublement du **g** au prétérit, **shrugged**.

10. **barely** = *à peine, tout juste*. Ex. : **I barely know him** = *je le connais à peine*.

11. **used to** (comme auxiliaire) = *avoir l'habitude de*. Ex. : **when we were children, we used to play together** = *quand nous étions enfant, nous avions l'habitude de jouer ensemble/nous jouions ensemble*.

12. **to spoil (spoiled, spoilt)** = *gâcher, abîmer, gâter* ; **a spoilt child** = *un enfant gâté*.

13. **kid** (subs.) = *chevreau* (ex. : **kid gloves** = *gants en chevreau*) mais aussi *gosse, gamin*.

They wrapped[1] it up in layers[2] and layers of paper, and I got so impatient, ripping[3] it all off, I cried, 'there's nothing in here, is there?' and threw the whole[4] lot in the bin[5].

My parents should have just left it there. If my father hadn't screwed up[6] his sleeve and reached, grimacing, into the mess[7] of tealeaves[8] and eggshells[9], maybe I would have learned a lesson. That sometimes you throw things away and no one, not even your dad, can get them back for you.

***

When Fizz tells me weeks later that she's got her first appointment with a client, I nearly drop down[10] dead with astonishment[11].

'It's an Arabella Lennox, in Kensington. She saw my insert[12] in *Homes & Gardens*!'

'You put an insert in *Homes & Gardens*? My God, Fizz, how much does that cost?'

'I didn't pay, you moron[13]. I went to Smiths[14] on the King's Road[15] and when they weren't looking, I slipped[16] a load[17] of leaflets[18] into all the posh[19] magazines. Felicity Silton, Interior Consultant. Our appointment's at two.'

'*Our*[20] appointment?' I echo suspiciously.

'You're my assistant.' She looks up and sees my face.

---

1. **to wrap (up)** = *envelopper, emballer, empaqueter*.
2. **layer** (subs.) = *couche, strate*; **layers and layers** = (litt.) *des couches et des couches*.
3. **to rip off** = *arracher, enlever en toute hâte*.
4. **whole** (adj.) = **entire** = *entier, complet*.
5. **(dust)bin** = *poubelle*; **bin-bag** = *sac-poubelle*.
6. **to screw up** = *visser, serrer*; **to screw up one's face** = *grimacer*; **to screw up one's courage** = *prendre son courage à deux mains*.
7. **mess** (subs.) = *désordre, pagaille, gâchis, foutoir, saleté*.
8. **tealeaves** = *feuilles de thé*. NB : **a leaf** = *une feuille* (végétaux), **leaves** = *des feuilles*.
9. **eggshells** = *coquilles d'œuf*; **shell** = *coquille* (escargot, noix...), *carapace* (tortue, homard...), *cosse* (petits pois).
10. **to drop down** = *tomber par terre*.
11. **dead with astonishment** = (litt.) *(raide) morte d'étonnement, de stupéfaction*.

Ils l'avaient emballée dans plusieurs épaisseurs de papier, et j'étais tellement impatiente en déchirant tout ça, que je m'étais écriée, « Il n'y a rien là-dedans, ou quoi ? » et j'avais jeté tout le paquet dans la poubelle.

Mes parents auraient dû l'y laisser. Si mon père n'avait pas relevé sa manche et récupéré le paquet en grimaçant, au milieu des vieilles feuilles de thé et des coquilles d'œufs, j'aurais peut-être appris une bonne leçon. Que parfois on jette des choses et que personne, pas même son père, ne peut les rattraper pour nous.

* * *

Quand Fizz me dit, trois semaines plus tard, qu'elle a son premier rendez-vous avec un client, je suis tellement étonnée que j'en tombe presque à la renverse.

— C'est une certaine Arabella Lennox, à Kensington. Elle a vu mon encart publicitaire dans *Maisons & Jardins*.

— Tu as fait de la publicité dans *Maisons & Jardins* ? Mon Dieu, Fizz, combien est-ce que ça coûte ?

— Je n'ai pas payé, tu es débile ou quoi ? Je suis allée chez Smiths sur King's Road et pendant que personne ne regardait, j'ai glissé un tas de prospectus dans tous les magazines chics. Felicity Silton, consultante en décoration intérieure. Nous avons rendez-vous à deux heures.

— *Nous* ? répété-je, avec méfiance.

— Tu es mon assistante.

Elle lève les yeux et voit la tête que je fais.

---

12. **insert** (subs.) = *insertion, encart*.
13. **moron** (subs.) = *idiot, crétin*.
14. **Smiths** est le plus important grossiste de presse de Grande-Bretagne.
15. **King's Road** est une avenue londonienne très connue, entre autres pour ses boutiques de mode. Elle relie Sloane Square dans le district de Kensington et Chelsea au district de Hammersmith et Fulham.
16. **to slip** = *glisser* ; **slip** (subs.) = *chute, erreur*.
17. **load** = *charge, chargement, quantité*.
18. **leaflet** = *prospectus, tract*.
19. **posh** (adj.) = *snob, chic, de luxe*.
20. Les italiques signalent ici une intonation particulière du locuteur ; elles mettent en valeur le mot et contribuent à créer l'illusion d'un dialogue vivant.

'Oh, go on[1], Em, I need an assistant, otherwise, they'll think I'm crap[2].'

'I don't want to be your crummy[3] assistant! I'll be your partner[4].'

'You can't be my partner. It's not a partnership.'

'All right then… your creative design consultant.'

There's a pause while Fizz thinks about this.

'OK,' she says grudgingly[5]. 'You can be my creative design consultant. But don't say anything.'

'What if I have some really good ideas?'

'I don't need ideas. I already know what I'm going to do. Designer's Guild[6] wallpaper[7] and huge candles everywhere. I've found a rather wonderful local source for those, actually,' she adds smugly[8].

'Where?' I ask, intrigued in spite of[9] myself.

'The pound shop[10]! And we can charge[11] her a tenner[12] for each one.'

Arabella Lennox has short blonde hair and widely mascaraed eyes, and sits on an old piano stool while Fizz and I sit side by side[13] on the sofa.

'As you can see[14],' she says, gesturing around[15], 'the whole place needs an overhaul[16].'

---

1. **to go** = *aller* ; **to go on** (**doing sth**) (phrasal verb) = *continuer (à faire qqch)* ; **go on !** = *allez !*

2. **crap** (subs.) = *merde, connerie, foutaise* ; **crap** (adj.) = *merdique, con.* Ex. : **he eats nothing but crap** = *il ne mange que des saloperies* ; **that's crap !** = *c'est de la connerie !*

3. **crummy** (adj.) = *minable.*

4. **partner** = *associé (en affaires), partenaire (tennis…), cavalier (danse), compagnon.*

5. **grudgingly** (adv.) = *à contrecœur, à regret* ; **to grudge sb sth** = *donner qqch à contrecœur à qqn.*

6. **Designer's Guild** est une marque britannique de tissu d'ameublement, papier peint et linge de maison de luxe, créée en 1970 par Tricia Guild.

7. **wallpaper** = *papier peint* (de **wall** = *mur* et **paper** = *papier*).

8. **smugly** (adv.) = *d'un air/ton suffisant.*

— Oh, allez, Em, j'ai besoin d'une assistante, sinon, ils vont me prendre pour une guignol.

— Je ne veux pas être une minable assistante ! Je serai ton associée.

— Tu ne peux pas être mon associée. Ce n'est pas une association.

— D'accord, alors... ta consultante en création design.

Une pause pendant que Fizz réfléchit à cette proposition.

— OK, dit-elle à contrecœur. Tu peux être ma consultante en création design. Mais tu ne dis pas un mot.

— Et si j'ai vraiment de bonnes idées ?

— Je n'ai pas besoin d'idée. Je sais déjà ce que je vais faire. Du papier peint Designer's Guild et d'énormes bougies partout. J'ai même trouvé une source d'approvisionnement local assez géniale, ajoute-t-elle d'un ton suffisant.

— Laquelle ? demandé-je, intriguée malgré moi.

— Le magasin « Tout à une livre » ! Et on peut les lui facturer dix livres pièce !

Arabella Lennox a les cheveux blonds et courts et les yeux très maquillés ; elle est assise sur un vieux tabouret de piano tandis que Fizz et moi sommes assises côte à côte sur le sofa.

— Comme vous le voyez, dit-elle, en montrant les lieux, c'est tout l'appartement qui a besoin d'un coup de neuf.

---

9. **in spite of** = **despite of** = *en dépit de, malgré.*

10. **the Pound shop** = *le magasin tout à une livre* ; ce type de magasins existe également aux États-Unis (les **one-dollar stores**).

11. **to charge** = *faire payer, ordonner, charger.*

12. **tenner** (br.) = **ten-pound note** = *billet de dix livres* ; **tenner** (am.) = **ten-dollar note** = *billet de dix dollars.*

13. **side by side** = *côte à côte, l'un(e) à côté de l'autre* ; **side** (subs.) = *côté, flanc.*

14. **you can see** : **can** sert souvent d'auxiliaire pour conjuguer les verbes de perception involontaire (comme **to see** (**saw, seen**), *voir*) ; il ne se traduit pas dans ce cas.

15. **to gesture** = *faire des gestes* ; **gesturing around** = (litt.) *en montrant la pièce autour d'elle.*

16. **overhaul** (subs.) = *révision (voiture...), vérification, remaniement.*

23

I look around at the fading[1] paintwork, the wooden[2] shutters[3], the battered[4] leather chair by the fireplace. There's a bookshelf by the fire and I run my eyes over the spines[5] of the books. I've read most of them. Or I'm intending to.

'It's not my style at all,' she adds, adjusting her pearls on her cashmere cardigan.

No, really?

'My...' I see her weighing up[6] a choice of words. 'My... chap[7] has handed over[8] the job to me to do. Or rather[9], I insisted!' Arabella gives a little tinkly[10] laugh. 'I mean, if I'm going to live here one day... It's hardly[11] the lap[12] of luxury, is it? And all these awful old books everywhere.'

'So you're moving in here?' says Fizz. She's writing on her notepad[13] and doesn't see Arabella's face tighten[14].

'Well. I mean, it's the next obvious[15] step[16], isn't it? And when he sees[17] what a fabulous job[18] I've done with the place... I'm sure he'll come round[19].' She leans forward[20] earnestly[21]. 'I want to transform it. Bring in bright colours, and some lovely gilt[22] mirrors, and lots of chandeliers... My favourite colour is pink, by the way.'

'Pink... chandeliers,' says Fizz, scribbling on her notepad with a serious expression.

---

1. **fading** (adj.) = *qui se fane, pâlissant* ; de **to fade** = *se faner, passer, se décolorer, s'affaiblir.*

2. **wooden** (adj.) = *en bois, de bois* et fig. *raide, gauche, peu naturel.* Ex. : **a wooden smile** = *un sourire forcé.*

3. **shutter** (subs.) = *volet* ; de **to shut** (**shut, shut**) = *fermer.*

4. **battered** = *meurtri, maltraité, délabré.*

5. **the spines of the books** = *les dos des livres.*

6. **to weigh** [weɪ] = *peser, soupeser* ; **to weigh up** (employé dans le sens abstrait avec la postposition) = *peser (la situation, ses mots...), estimer (ses chances...)* ; **weight** (subs.) = *poids.*

7. **chap** (subs.) = *type, mec.* NB : **chap** signifie également *gerçure, crevasse.*

8. **to hand over** = **to give** = *donner, remettre.*

9. **rather** (adv.) = *plutôt.*

10. **tinkly** (adj.) = *qui tinte,* de **to tinkle** = *tinter (cloches, verres...).*

11. **hardly** (adv.) = *à peine, presque pas.*

12. **the lap of luxury** = (litt.) *le giron du luxe.* Ex. : **to live in the lap of luxury** = *vivre dans le luxe.*

Je regarde la peinture fanée, les persiennes en bois, le fauteuil en cuir usé près de la cheminée. Il y a une étagère pleine de livres près du feu, que je parcours des yeux. Je les ai presque tous lus. Ou bien j'en ai l'intention.

— Ce n'est pas du tout mon style, ajoute-t-elle en ajustant son collier des perles sur son cardigan en cachemire.

— Non, vraiment ?

— Mon... (Je la vois hésiter sur le choix des mots.) Mon... copain m'a chargée de la rénovation. Ou pour être exacte, c'est moi qui ai insisté ! (Arabella nous gratifie d'un petit rire cristallin.) C'est vrai, si je dois m'installer ici un jour... Ce n'est pas du luxe, non ? Et tous ces horribles vieux bouquins partout.

— Donc vous emménagez ? dit Fizz.

Elle est en train de prendre des notes sur un carnet et ne voit pas le visage d'Arabella se renfrogner.

— Oui, bon. C'est la prochaine étape naturelle, non ? Et quand il verra le travail fabuleux que j'aurai fait dans l'appartement... Je suis sûre qu'il sera d'accord. (Elle se penche vers nous avec gravité.) Je veux transformer l'appartement. Mettre des couleurs éclatantes, et de jolis miroirs dorés, et plein de chandeliers... Et au fait, ma couleur préférée, c'est le rose.

— Rose... chandeliers, dit Fizz en griffonnant dans son carnet d'un air sérieux.

---

13. **notepad** (subs.) = *bloc-notes* (**pad** (subs.) = [élément de protection, de renforcement] *coussinet, plaque*).

14. **to tighten** = *serrer, resserrer* ; **tight** (adj.) = *serré, moulant*.

15. **obvious** (adj.) = *évident*.

16. **step** (subs.) = *pas, marche (escalier), escalier, étape*.

17. **when he sees** = *quand il verra* ; notez qu'en anglais, dans les propositions subordonnées de temps introduites par **when**, l'idée de futur est exprimée par un présent. Ex. : **I will be there when you leave** = *je serai là quand tu partiras.*

18. **what a fabulous job !** = *quel boulot fabuleux !* ; notez la construction avec l'article indéfini en anglais.

19. **to come round** = *changer d'avis, se convertir à l'opinion de quelqu'un, se faire à l'idée, céder* mais aussi *faire un détour*.

20. **forward** (adj./adv.) = *(en) avant*.

21. **earnestly** = *sérieusement, sincèrement, avec ferveur*.

22. **gilt** = *doré* ; **to gild (gilded, gilded/gilt)** = *dorer*.

I look over, see that she's written[1] *Barbie's Fairy[2] Palace*, and try to conceal[3] a giggle[4]. 'I really must say, you've got some fantastic ideas there, Arabella.'

'Thank you!' she dimples[5]. 'So – did you have any initial ideas for this room?'

'I was thinking...' Fizz pauses consideringly[6]. 'Off the top of my head[7]... Designer's Guild wallpaper – in pink, of course – and candles. Candles everywhere.'

'Ooh, I love candles!' trills[8] Arabella. 'They're so romantic!'

'Good!' says Fizz, scribbling again. 'I'm afraid they *are* rather expensive...'

'That's OK.' Arabella gives a coy[9] smile. 'Dee-Dee has given me a very generous budget.'

'Your boyfriend is called Dee-Dee?' I say disbelievingly[10].

'It's what I call him,' says Arabella. 'I love pet-names[11]. Don't you?'

'Well,' I say. 'For a pet, perhaps.'

Arabella stares at me, eyes narrowed[12].

'What's your role, exactly?' she says.

'I'm the creative design consultant,' I reply pleasantly. 'Plus, I'm a qualified specialist in mantelpiece adornment[13].'

Arabella gives me a puzzled[14] look.

---

1. **she's written = she has written** (verbe conjugué au **present perfect**) = *elle a écrit*.

2. **fairy** (subs.) = *fée*; **fairy** (adj.) = *féerique*. Ex. : **fairy tales** = *contes de fées*.

3. **to conceal** = *cacher, dissimuler* = **to hide** (hid, hidden).

4. **giggle** ['gɪgl] = *petit rire, gloussement*; **to giggle** = *glousser, rire bêtement*.

5. **to dimple** = *creuser des fossettes*; **dimple** = *fossette, ride (sur l'eau)*.

6. **to consider** = *considérer, étudier, réfléchir*; **consideringly** (adv.) = *en (y) réfléchissant*.

7. **off the top of my head** = *au pied levé*.

8. **to trill** = *faire des trilles (musique), dire d'une voix flûtée*; à ne pas confondre avec **to thrill** = *électriser, transporter, tressaillir, frissonner*.

Je jette un coup d'œil, je vois qu'elle a écrit *Le château féerique de Barbie* et tâche de dissimuler un gloussement.

— Je dois bien l'avouer, vous avez là des idées absolument fantastiques, Arabella.

— Merci ! (Elle sourit.) Alors – vous avez des idées de départ pour cette pièce ?

— Je pensais... (Fizz se tait et s'absorbe dans une intense réflexion.) Sans réfléchir... Papier peint Designer's Guild – rose, évidemment – et des bougies. Des bougies partout.

— Oooh ! J'adore les bougies ! dit Arabella d'une voix flûtée. C'est si romantique !

— Super ! dit Fizz, en se remettant à griffonner. Mais j'ai bien peur que les bougies, ce soit plutôt cher...

— Ce n'est pas grave. (Arabella nous sourit timidement.) Dee-Dee m'a donné un budget très confortable.

— Votre petit ami s'appelle Dee-Dee, dis-je, incrédule.

— C'est comme ça que moi, je l'appelle, dit Arabella. J'adore les petits noms, pas vous ?

— Euh, dis-je, pour un animal de compagnie, éventuellement.

Arabella me dévisage, visiblement agacée.

— Quel est votre rôle, exactement ? dit-elle.

— Je suis consultante en création design, répliqué-je d'un air affable. Et en plus, je suis une spécialiste reconnue de l'ornement de manteau de cheminée.

Arabella me regarde d'un air perplexe.

---

9. **coy** (adj.) = *timide, qui fait la sainte-nitouche, qui fait des mines* ; *timide se dit aussi* **shy**.

10. **disbelieving** = *incrédule*.

11. **pet-name** = *surnom* ; **pet** = *animal de compagnie*.

12. **eyes narrowed** = (litt.) *les yeux (r)étrécis* ; **narrow** (adj.) = *étroit, mince, resserré*.

13. **mantelpiece adornment** = (litt.) *ornementation de dessus de cheminée*.

14. **puzzled** (adj.) = *perplexe* de **to puzzle** = *intriguer, laisser perplexe*.

'So you advise[1] on...?'

'Which *objet* to place where,' I say, nodding[2]. 'It's a very underrated[3] skill[4].'

We all turn our heads to look at the mantelpiece in this room, which is bare[5] apart from a box of matches.

'If you like,' I say generously, 'I'll throw in[6] a mantelpiece consultation for free.'

'Really?' Arabella's eyes widen[7]. 'That would be great!' She peers more closely[8] at me. 'You don't mind me mentioning it – but is there something wrong with your face? Under your chin? Is it psoriasis? Because my beautician says –'

'No,' I say, cutting her off[9]. 'It's not psoriasis.' I smile at her. 'But thank you for drawing[10] my attention to it.'

'Let's look at the rest of the flat,' says Fizz firmly. 'OK?' And as she gets up she gives my hand a sympathetic squeeze[11].

We walk through the spacious hall, and I can hear Fizz blathering[12] on quite impressively about proportions and colour palettes. Then we turn down a little corridor towards[13] the bedroom. There's an abstract painting hanging up above the door, which sends an unpleasant little twinge[14] to my chest[15] as I glance at[16] it. Because it looks very like...

---

1. **to advise** = *conseiller, recommander*; **advice** (subs.) = *conseil, avis*.

2. **to nod** = *faire un signe de tête, approuver d'un signe de tête*.

3. **underrated** = *sous-estimé* de **under** = *sous* et **to rate** = *classer, évaluer*; **rate** (subs.) = *taux, rythme, tarif*.

4. **skill** (subs.) = *aptitude, compétence, dextérité, talent*.

5. **bare** (adj.) = *nu (jambe, tête), vide, dépouillé*; **barefoot** = *pieds nus*; *nu se dit* **naked**.

6. **to throw** = *jeter, lancer*; **to throw in** (ici) = *ajouter, donner en plus*.

7. **to widen** = *élargir, étendre*; de **wide** (adj.) = *large*.

8. **closely** (adv.) = *de près, attentivement*, de **close** (adj.) = *proche, rapproché*.

— Donc vous donnez des conseils sur... ?

— Quel objet placer où, dis-je. C'est un talent très sous-estimé.

Nous tournons toutes les trois la tête vers le manteau de la cheminée, qui est complètement vide mise à part une boîte d'allumettes.

— Si vous voulez, dis-je généreusement, je pourrai ajouter une consultation spéciale cheminée gratuitement.

— C'est vrai ? (Les yeux d'Arabella s'élargissent.) Ce serait génial ! (Elle m'observe plus attentivement.) Ne m'en veuillez pas d'en parler – mais qu'avez-vous au visage ? Sous votre menton. C'est du psoriasis ? Parce que mon esthéticienne dit que...

— Non, dis-je en lui coupant la parole. Ce n'est pas du psoriasis. (Je lui souris.) Mais merci d'en avoir parlé.

— Jetons un œil au reste de l'appartement, dit Fizz avec fermeté. D'accord ?

Et en se levant, elle me presse la main, en un geste de sympathie.

Nous traversons le vaste hall, et j'entends Fizz dire des bêtises sur les proportions impressionnantes et les palettes de couleurs. Puis nous tournons dans un petit couloir qui mène à la chambre à coucher. Une peinture abstraite est suspendue au-dessus de la porte, elle me provoque un désagréable petit pincement au cœur, au moment où elle accroche mon regard. Parce qu'elle ressemble vraiment à...

---

9. **to cut off** = *(dé)couper* (**off** indique la séparation nette).

10. **to draw** = *dessiner, tracer* mais aussi *tirer, attirer*.

11. **to squeeze** = *presser, serrer, étreindre*.

12. **to blather** = **to blether** = *parler à tort et à travers, dire des bêtises*.

13. **towards** (prép.) = *vers, pour*.

14. **twinge** (subs.) = *élancement (de douleur), petite crise*.

15. **chest** = *poitrine, cœur*. Ex. : **chest pains** = *douleurs dans la poitrine*.

16. **to glance at** = *jeter un coup d'œil sur, lancer un regard à* ; **glance** (subs.) = **quick look** = *regard, coup d'œil*.

It looks almost exactly like...

As I get near, my heart starts to thump[1]. I run my eyes quickly over the canvas, looking for discrepancies[2]. It can't be the same. It can't. But it is. I know every square inch[3]; every brush stroke[4] of this painting. Of course I know it. I helped to choose it.

I stare up at it, transfixed[5]; unable to breathe.

'Oh, the painting,' says Arabella, turning back. 'Yes, it's quite nice, isn't it? Not really my thing, but apparently the painter is quite up-and-coming[6]. He's –'

'Spanish[7],' I hear myself saying.

'Yes!' she says, and eyes me in surprise. 'Goodness, you do[8] know your stuff, don't you?'

'Where did you get it?' My voice is too urgent; too clumsy[9].

'It's not mine,' she says. 'It belongs to my chap. So this is the bedroom...'

I follow her numbly[10] into the room. And now, of course, I'm seeing the signs everywhere, like fingerprints[11] appearing under dust. The old leather trunk. The books in the living room.

I glance at myself in the mirror – and my face has drained of[12] colour.

'Ooh, look!' says Fizz, spying[13] a photograph by the bed. 'Is that him? Is that your chap?'

'Yes, that's him!' beams[14] Arabella. 'That's Dee-Dee. Of course, his real name is David –'

---

1. **to thump** = *cogner, battre la chamade*; **thump** (subs.) = *bruit sourd, coup*.

2. **discrepancy** (subs.) = *désaccord, différence, divergence*.

3. **square inch** = *pouce carré* (**inch** = *pouce* = 2,54 cm); **9 square meters** = *9 mètres carrés*.

4. **stroke** (subs.) = *coup (de fouet, de pinceau, de brosse, d'aile)*.

5. **to transfix** = *transpercer*, (fig.) *rendre immobile*.

6. **up-and-coming** (adj.) = *plein d'avenir, prometteur*.

7. **Spanish** (adj.) = *espagnol*; notez qu'en anglais, les adjectifs et les noms de nationalité prennent toujours une majuscule tandis qu'en français, seuls les noms en prennent (pas les adjectifs).

8. **you do know** = *vous connaissez vraiment*; dans ce cas, **do** est un auxiliaire de modalité, il est grammaticalement inutile; le locuteur l'ajoute pour insister sur la réalité de ce qu'il affirme.

Elle ressemble presque exactement à...

Alors que je m'approche, mon cœur commence à cogner. Je parcours rapidement la toile des yeux, à la recherche de différences. Ça ne peut pas être la même. Ce n'est pas possible. Et pourtant, c'est elle. Je connais chaque centimètre carré, chaque coup de pinceau de cette toile. Bien sûr que je la connais. J'ai aidé à la choisir.

Je l'observe fixement, clouée sur place ; incapable de respirer.

— Oh, le tableau, dit Arabella, en se retournant.

— Oui, il est plutôt joli, non ? Pas vraiment ma tasse de thé, mais apparemment le peintre est plutôt prometteur. Il est...

— Espagnol, m'entends-je dire.

— Tout à fait ! dit-elle en me regardant avec surprise. Mon Dieu, vous connaissez vraiment votre affaire, vous alors ?

— Où l'avez-vous eu ?

Ma voix est trop pressante, trop maladroite.

— Il n'est pas à moi, dit-elle. Il appartient à mon copain. Donc, voici la chambre...

Je la suis mollement dans la pièce. Et bien sûr, maintenant, je vois des signes partout comme des empreintes de doigt qui apparaîtraient sous la poussière. La vieille malle en cuir. Les livres dans le salon.

Je jette un coup d'œil à mon reflet dans le miroir – et mon visage est pâle.

— Ooooh, regardez ! dit Fizz, en apercevant une photographie près du lit. C'est lui ? C'est votre copain ?

— Oui, c'est lui ! dit Arabella avec un sourire de fierté. C'est Dee-Dee. Bien sûr, son vrai nom, c'est David...

---

9. **clumsy** (adj.) = *maladroit, gauche, disgracieux.*

10. **numbly** (adv.) = *mollement, d'un air engourdi,* de **numb** (adj.) = *engourdi.* Ex. : **hands numb with cold** = *les mains engourdies par le froid.*

11. **fingerprint** = *empreinte digitale* de **finger** = *doigt* et **print** = *empreinte, marque, trace.*

12. **to drain** = *évacuer, vider* ; ici, **my face has drained of colour** = *mon visage s'est vidé (a perdu) toutes ses couleurs* = *mon visage a blêmi.*

13. **spy** (subs.) = *espion* ; **to spy** = *épier, espionner, apercevoir, voir.*

14. **to beam** = *rayonner, resplendir, faire un grand sourire.*

I saw it coming; I had the four-minute[1] warning[2]. But hearing his name again is like being hammered[3] in the stomach.

'Excuse me,' I say. 'I... I don't feel well. I think I'll go and[4] wait outside.'

'Are you OK, Em?' says Fizz, and puts a hand on my arm.

'I'll be fine,' I manage[5]. 'Really. I just need to sit in the fresh air for a bit.'

As I walk blindly[6] back down the corridor, towards the front door, I can hear Fizz explaining: 'She was in this car crash in Peru a couple of[7] years ago...'

We used to tease[8] each other about sleeping with other people. I used to pretend[9] I fancied[10] his fried, Jon. I used to flirt outrageously. It was all a big joke. Even when I found myself letting Jon slip his hand inside my shirt[11]; even when I agreed to meet him for secret lunches, it was still supposed to be a joke. A kind of a game. Look, your friend fancies me! Look, I've been to bed with him! I still prefer you, though. Of course I do. I was just playing around[12], silly! When he found out[13], I felt a thud[14] of fear – but still I thought I was invincible. I thought he would forgive everything, if I explained properly. I practised[15] my kittenish[16] phrases; put on[17] my most charming smile.

---

1. **four-minute** (adj.) = *de quatre minutes*; notez qu'en anglais, on peut créer des adjectifs composés; dans ce cas les substantifs utilisés restent invariables; ex. : **a fifteen-year-old boy** = *un garçon de quinze ans*.

2. **warning** (subs.) = *avertissement, alarme* de **to warn** = *avertir, prévenir*.

3. **to hammer** = *marteler, tabasser, massacrer*; **hammer** (subs.) = *marteau*.

4. **to go and wait** = *aller attendre*; quand le verbe **to go** est suivi d'un deuxième verbe, il est souvent introduit par **and**. Ex. : **I will go and help her** = *je vais aller l'aider*.

5. **to manage** = *diriger, gérer, réussir (à)*.

6. **blindly** (adv.) = *comme un aveugle, aveuglément, à l'aveuglette*; **blind** (adj.) = *aveugle*.

7. **a couple of** = *quelques, un ou deux*; **couple** (subs.) = *couple*.

8. **to tease** = *taquiner, embêter, tourmenter, (sexually) allumer*.

Je le voyais venir ; j'ai eu quatre minutes pour me préparer. Mais entendre son nom à nouveau, c'est comme être frappée à l'estomac.

— Excusez-moi, dis-je. Je… Je ne me sens pas bien. Je pense que je vais aller attendre dehors.

— Ça va, Em ? dit Fizz en posant la main sur mon bras.

— Ça va aller, parviens-je à répondre. Je t'assure. J'ai juste besoin de m'asseoir dehors, au frais, un moment.

Alors que je reprends le couloir sans réfléchir, en direction de la porte d'entrée, j'entends Fizz expliquer :

— Elle a eu cet accident de voiture au Pérou, il y a deux ans…

On se provoquait souvent sur le fait de coucher avec d'autres personnes. J'avais l'habitude de faire semblant de craquer pour son ami Jon, et de flirter outrageusement avec lui. Tout ça, c'était juste pour rire. Même quand je me suis retrouvée en train de laisser Jon glisser sa main sous ma chemise ; même quand j'ai accepté de le voir en cachette pour déjeuner, c'était toujours censé être pour rire. Une sorte de jeu. regarde, ton ami craque sur moi ! Regarde, j'ai couché avec lui ! Mais c'est toujours toi que je préfère. Évidemment. C'était juste une aventure, idiot ! Quand il l'a découvert j'ai ressenti une peur sourde – mais je pensais toujours que j'étais invincible. Je pensais qu'il me pardonnerait tout, si je lui expliquais correctement. Je préparai mes phrases les plus coquettes ; arborai mon plus charmant sourire.

---

9. **to pretend** = *feindre, simuler, faire semblant, prétendre.*

10. **to fancy** = *s'imaginer, se figurer* ; **to fancy sb** = *être attiré par qqn, plaire à qqn* ; **to fancy sth** = *bien aimer qqch, avoir envie de qqch.*

11. **I found myself letting Jon slip his hand inside my shirt** = (litt.) *Je me suis retrouvée à laisser Jon glisser sa main sous ma chemise.*

12. **to play around** = *jouer, s'amuser,* (sexuellement) *avoir des aventures.*

13. **to find out** = *se rendre compte, découvrir* ; **to find** = *trouver.*

14. **a thud** = *un bruit sourd* ; **to thud** = *tomber avec un bruit sourd.*

15. **to practise** = *pratiquer, (s')exercer.*

16. **kittenish** (adj.) = *enjoué, coquet* de **kitten** (subs.) = *chaton.*

17. **to put on** = *mettre [sur soi] (des vêtements, des chaussures, du maquillage…), prendre (un air innocent, du poids…).*

Somehow it didn't work. I couldn't make him understand; couldn't get past the betrayal in his face. When I tried to touch him, he flinched[1]. When I tried to laugh, it was a shrill[2], grating noise, like nails on a blackboard. He called me very young and said that I would grow up. That was the worst[3] bit[4] of all. The disappointment in his voice as he said it.

Can you believe, Arabella fell for[5] Fizz's spiel[6]? And to my amazement[7], Fizz seems to be doing a pretty[8] good job of it. She's found a friendly local decorator named Danny, and she seems to spend most days over there, drinking coffee with Arabella and flicking[9] through magazines and wallpaper books. They go out for lunch, too – which Fizz can afford[10], because of the enormous down-payment she's managed to extract from Arabella, her New Best Friend.

To be fair, she's invited me along[11] a few times, but I've always managed to invent excuses. Not that I don't listen to all the details of Arabella's life with a kind of masochistic fascination.

'What's "the chap" like?' I ask casually[12] one day. I cannot bring[13] myself to say 'Dee-Dee'.

---

1. **to flinch** = *hésiter, se dérober, tressaillir.*

2. **shrill** (adj.) = *aigu, perçant, véhément.*

3. **worst** = *(le) pire* (superlatif de **bad** = *mauvais*) ; **worse** = *pire* (comparatif).

4. **bit** (subs.) = *morceau, partie* ; **a bit (of)** = *un peu (de).* Notez également les expressions : **the best bit** = *le mieux, le meilleur,* **the funniest bit** = *le plus drôle.*

5. **to fall for (fell, fallen)** = *être dupe, se laisser prendre,* mais aussi *tomber amoureux, avoir le coup de foudre* (= **to fall in love**).

6. **spiel** (subs.) [ʃpiːəl] = *baratin, boniment.*

7. **amazement** (subs.) = *stupéfaction, stupeur, étonnement.*

Pour une raison ou pour une autre, ça n'a pas marché. Je n'ai pas pu lui faire comprendre ; pas pu effacer la trahison sur son visage. Quand j'essayais de le toucher, il se dérobait. Quand j'essayais de rire, c'était un son aigu et discordant, comme des ongles sur un tableau noir. Il m'a dit que j'étais bien jeune et qu'il fallait que je grandisse un peu. Ça a été le pire de tout : la déception dans sa voix quand il a dit cela.

Vous pouvez le croire ?, Arabella s'est laissé avoir par le baratin de Fizz. Et à mon grand étonnement, Fizz semble faire du bon travail. Elle a trouvé un sympathique décorateur du quartier appelé Danny, et semble passer la plupart de ses journées là-bas, à boire du café avec Arabella et à feuilleter des magazines et des carnets d'échantillons de papier peint. Elles sortent déjeuner aussi – et Fizz peut payer étant donné l'acompte conséquent qu'elle a réussi à soutirer à Arabella, sa Nouvelle Meilleure Amie.

Pour être honnête, elle m'a invitée plusieurs fois, mais j'ai toujours réussi à trouver des excuses. Non que je n'écoute tous les détails de la vie d'Arabella avec une sorte de fascination masochiste.

— A quoi « le copain » ressemble-t-il ? demandé-je un jour en passant. Je ne peux pas me résoudre à l'appeler « Dee-Dee ».

---

8. **pretty** (adj.) = *joli, mignon* ; **pretty** (adv.) = *assez, passablement, plutôt.*

9. **to flick through** = *feuilleter* ; **to flick** = *effleurer.*

10. **to afford** = *avoir les moyens, fournir* ; **I can't afford it** = *je ne peux pas me le permettre.*

11. **along** (prép.) = *le long de* ; **to come along** = *venir.*

12. **casually** = *en passant, avec décontraction, par hasard.*

13. **to bring (brought, brought)** = *apporter, amener* ; **to bring oneself to do sth** = *se résoudre, se décider à faire qqch.*

'Dunno[1],' says Fizz vaguely. 'He's abroad[2] all the time.' She starts giggling. 'God knows what he's going to think of his flat when he gets back[3]. You know Arabella's latest idea?'

'What?'

'Gold tassels[4] on all the light switches[5]. For that[6] luxury touch.'

'As creative design consultant,' I say, 'I'm afraid I veto that.'

'Too late, I've bought[7] them! Six quid each, I'm charging her.'

'Where from?'

'The pound shop.'

Then, overnight[8], the New Best Friendship disintegrates. Fizz has a huge row[9] with Arabella over the placement of a curtain tie-back[10] (something like that, anyway), and Arabella threatens to sack[11] her. She complains that Fizz's taking far too long[12] and she wants the sitting room finished now.

'Stupid cow[13],' says Fizz, when she's finished telling me. 'Stupid stuck-up cow! We're supposed to be friends.' She takes a swig of wine and eyes me wildly[14]. 'Listen, Emma, you have to[15] help me.'

---

1. **dunno** = I don't know = *je ne sais pas* = *chais pas*.

2. **abroad** (adv.) = *à l'étranger*; **foreign** (adj.) = *étranger*.

3. **to get back** = *revenir*; **to get** est un verbe de sens vague (*obtenir, prendre...*) avec lequel on peut former, grâce à des postpositions, de nombreux « phrasal verbs » comme **to get up** = *se lever*, **to get away** = *s'enfuir*, **to get on** = *monter*, **to get together** = *se réunir*....

4. **tassel** (subs.) = *passementerie, gland, pompon*.

5. **switch** (subs.) = *interrupteur, bouton*; **to switch** = *changer, échanger*; **to switch off** = *couper, éteindre*; **to switch on** = *allumer, mettre*.

6. <u>that</u> luxury touch = <u>*cette fameuse*</u> touche de luxe.

— Chais pas, dit Fizz vaguement. Il est tout le temps à l'étranger. (Elle commence à glousser.) Dieu seul sait ce qu'il va penser de son appartement quand il va rentrer. Tu connais la dernière idée d'Arabella ?

— Non ?

— Des pompons dorés sur tous les interrupteurs. Pour ajouter une touche de luxe.

— En tant que consultante en création design, dis-je, j'ai bien peur de devoir mettre mon veto.

— Trop tard, je les ai achetés ! Six livres pièce, je lui facture.

— Ils viennent d'où ?

— De « Tout à une livre ».

Puis du jour au lendemain, la Nouvelle Grande Amitié se désintègre. Fizz se dispute violemment avec Arabella à propos de la position d'une attache de rideaux (enfin quelque chose comme ça), et Arabella menace de la virer. Elle se plaint que les travaux durent trop longtemps et elle exige que le salon soit terminé dans les plus brefs délais.

— Stupide truie, dit Fizz après m'avoir tout raconté. Stupide truie prétentieuse ! Nous sommes censées être amies. (Elle prend une gorgée de vin et me regarde d'un air désespéré.) Écoute, Emma, il faut que tu m'aides.

---

7. **bought** = prétérit de **to buy** = *acheter.*

8. **overnight** = *pendant la nuit, du jour au lendemain, au jour le jour.*

9. **row** (subs.) = *chahut, tapage, dispute, querelle* mais aussi *rang, rangée, ligne.*

10. **to tie-back** = *attacher (en arrière) (cheveux, rideaux)* ; **tie** (subs.) = *lien.*

11. **to sack** = *virer, mettre à la porte*, mais aussi *ensacher, mettre en sac.*

12. **far** = *loin* ; **far too** = *vraiment trop.*

13. **cow** = *vache.*

14. **and eyes me wildly** = (litt.) *et me regarde intensément.*

15. **to have to (had, had)** = *devoir, être obligé de.*

37

'What?' I say apprehensively. 'What do you mean, help you?'

'I told her I'd get the sitting room finished by[1] tomorrow. Danny's buggered off[2], leaving one wall unpapered.'

'Why did he bugger off?' I say suspiciously.

'He always wants cash up-front[3]. And I've kind of...' She bites her lip. 'Run out of money[4].'

'Oh Fizz!'

'Look[5], Em, you know how to paper walls. I've seen you.'

Unfortunately, this is true.

'Please, Em,' she weedles[6]. 'Just this once. I'll owe[7] you for ever. Otherwise[8], Arabella's going to sue[9] me!'

Oh God, I always fall for her blarney[10].

'Will anyone be there?'

'No!' says Fizz confidently. 'It'll be completely empty.'

We arrive at the flat just as dusk[11] is falling. As Fizz lets us in[12], I can't help[13] gasping[14]. The place is transformed from when I saw it last – all pastel paint colours and stencils of grapes.

---

1. **by** (prép.) = *par* (ex. : **to be loved by sb** = *être aimé par qqn*), *près de* (ex. : **sitting by the fire** = *assis près du feu*), *avant, pour, d'ici* (ex. : **you will have it by tomorrow** = *vous l'aurez pour/d'ici demain*).

2. **to bugger off** (fam.) = *se casser, foutre le camp* ; **to bugger around/ about** (fam.) = *déconner, emmerder, faire chier*.

3. **up-front** (adj.) = *honnête, franc* mais aussi *à l'avance*.

4. **to run out** = *sortir en courant* (**to run** = *courir*), mais aussi *expirer, s'épuiser* ; **to run out of** = *ne plus avoir de*.

5. **Look !** = *regarde !* mais est souvent traduit par *écoute !* en français.

— Quoi ? dis-je avec appréhension. Qu'est-ce que tu entends par t'aider ?

— Je lui ai dit que je ferai en sorte que le salon soit fini demain. Danny a foutu le camp en laissant un mur non tapissé.

— Pourquoi il a foutu le camp ? dis-je avec méfiance.

— Il veut toujours être payé d'avance. Et je suis comme qui dirait... (elle se mord la lèvre) complètement à sec.

— Oh Fizz !

— Ecoute, Em, tu sais tapisser. Je t'ai vu faire.

Malheureusement, c'est vrai.

— S'il te plaît, Em, minaude-t-elle. Juste pour cette fois. Je t'en serai éternellement reconnaissante. Sans ça, Arabella va me faire un procès.

Mon Dieu, elle réussit toujours à m'embobiner.

— Est-ce qu'il y aura quelqu'un ?

— Non, dit Fizz avec assurance. L'appartement sera complètement désert.

Nous arrivons à l'appartement juste à la tombée de la nuit. Comme Fizz nous fait entrer, je ne peux m'empêcher de suffoquer. Le lieu est transformé par rapport à la dernière fois où je l'ai vu – tout en couleurs pastel et grappes de raisins au pochoir.

---

6. **to wheedle sb into doing sth** = *faire faire qqch à qqn à force de cajoleries.*
7. **to owe (sb sth)** = *devoir (qqch à qqn).*
8. **otherwise** = *sinon.*
9. **to sue sb** = *intenter un procès à qqn, poursuivre qqn en justice.*
10. **to blarney sb** = *embobiner qqn* ; **blarney** (subs.) = *boniments.*
11. **dusk** (subs.) = **twilight** = **nightfall** = *crépuscule.*
12. **to let someone in** = *laisser qqn entrer, faire entrer qqn.*
13. **I can't help + -ing** = *je ne peux pas m'empêcher de + infinitif.*
14. **to gasp** = *avoir le souffle coupé, haleter, suffoquer.*

'Where's[1] the abstract painting gone?' I ask as we walk down the corridor. 'It was up there.'

'Dunno,' says Fizz vaguely. 'Arabella never liked it, apparently. And it doesn't go with the stencilling[2], so... OK.' She opens the door of the sitting room. 'Here's[3] your paper... and here's your ladder[4].'

'What do you mean, *my* ladder?'

'Oh, I can't stay,' says Fizz in surprise. 'I've got a meeting[5] with another client.'

'What?' I exclaim. 'What other bloody client? You're expecting[6] me to do this alone?'

'I'll be back as soon as[7] I can, I promise,' she says, blowing[8] me a kiss. 'Look, there's hardly anything left[9] to do. Take you five minutes.'

She disappears out of the room and I hear the front door slam[10]. I know I should feel furious with[11] her. I should walk out and leave her in her own mess. But I'm feeling too confused to move, or even feel angry. I'm in David's flat, alone.

I look slowly around, trying to see some clues[12] of his life amid[13] the pinkness. It's been three years since I saw him. What's happened in that time. What kind of person is he now?

I sidle over[14] to a side table and am cautiously opening a drawer[15], when there's a sound at the door. Quickly, I close the drawer and hurry back[16] to the ladder.

---

1. **Where's the painting gone ?** = where has the painting gone ? = *où la peinture est-elle allée/passée ?*

2. **to stencil** = *peindre au pochoir, polycopier.*

3. **here** = *ici*; **here is** (+sing.), **here are** (+pl.) = *voici, voilà.*

4. **ladder** (subs.) = *échelle*; **(step)ladder** (subs.) = *escabeau.*

5. **meeting** (subs.) = *rencontre, réunion, conférence*, de **to meet (met, met)** = *rencontrer.*

6. **to expect** = *attendre, s'attendre à, compter sur*; *espérer* se dit **to hope.**

7. **as soon as** = *dès que*; **soon** = *bientôt.*

8. **to blow (blew, blown)** = *souffler*; **to blow one's nose** = *se moucher.*

9. **to leave (left, left)** = *laisser, quitter*; **to be left** = *rester*; ex. : **there are no eggs left** = *il n'y a plus d'œufs.*

10. **to slam** = *(faire) claquer.*

— Où est passée la peinture abstraite ? demandé-je comme nous traversons le couloir. Elle était juste là.

— Chais pas, dit Fizz vaguement. Arabella ne l'a jamais aimée apparemment. Et elle ne va pas avec les pochoirs, donc... OK. (Elle ouvre la porte du salon.) Ça, c'est ton papier peint... et ça c'est ton escabeau.

— Comment ça, *mon* escabeau ?

— Oh, je ne peux pas rester, dit Fizz en me prenant par surprise. J'ai rendez-vous avec un autre client.

— Quoi ? m'exclamé-je. Quel autre foutu client ? Tu t'attends à ce que je fasse ça toute seule ?

— Je serai de retour dès que possible, je te le promets, dit-elle en m'envoyant un baiser. Écoute, il n'y a presque plus rien à faire. Ça va te prendre cinq minutes.

Elle disparaît de la pièce et j'entends la porte d'entrée claquer. Je sais que je devrais lui en vouloir. Je devrais m'en aller et la laisser dans le pétrin. Mais je me sens trop troublée pour bouger, ou même pour être en colère. Je suis dans l'appartement de David, seule.

Je regarde lentement autour de moi, j'essaye de voir des signes de sa vie derrière tout ce rose. Cela fait trois ans que je ne l'ai pas vu. Que s'est-il passé pendant ce temps ? Quel genre de personne est-il maintenant ?

Je me glisse vers une petite table et ouvre un tiroir avec mille précautions, quand il y a un bruit à la porte. Vite, je referme le tiroir et me précipite vers l'escabeau.

---

11. **to be furious, angry with** = *être furieux, en colère contre*; **with** = *avec*.

12. **clue** (subs.) = *indication, indice*. Ex. : **I haven't got a clue** = *je n'en ai pas la moindre idée*.

13. **amid** (prép.) = *au milieu de*.

14. **to sidle** = *se glisser*.

15. **drawer** (subs.) = *tiroir*; notez qu'en anglais comme en français, le mot vient de **to draw** = *tirer*.

16. **to hurry** = *se dépêcher* et **back** = *(en) arrière*; notez qu'en français, on traduit la préposition anglaise par un verbe et le verbe par un complément de manière : **and hurry back to the ladder** = (litt.) *et retourne précipitamment à mon escabeau*.

'Hello!' says Arabella from the doorway[1]. 'Just popped back[2] for my umbrella. Fizz told me you were coming. Doesn't it look good?'

'Lovely' I say politely. 'It's very smart[3]. Except...'

'Except what?'

I rub[4] my face, not sure how to say it.

'Arabella, are you sure your... chap is going to like it?'

'Of course he is[5]!' she says. 'It was a horrible hotchpotch[6] before. This is a finished look[7].'

'But don't you think... wouldn't he prefer...'

'I think I know my own boyfriend,' snaps[8] Arabella defensively. 'He's going to love it.'

'But –'

'Do you have a boyfriend, Emma?'

'No,' I say after a pause. 'No, I don't.'

Arabella's eyes run dismissively[9] over my face and I can see the words 'no wonder'[10] forming above her head in a thought-bubble[11]. Then she taps out[12] of the room – and a moment later I hear the front door closing.

I stare at the empty wall in front of me. Clean and prepared, ready to be papered. The wallpaper is ready, all cut[13] into lengths[14]. Fizz is right – it'll take no time.

---

1. **doorway** (subs.) = *encadrement de porte*; **in the doorway** = *dans l'embrasure de la porte.*

2. **to pop** = *éclater (en faisant « pop »), faire un saut*; **to pop back** = *revenir pour un instant, en coup de vent.*

3. **smart** (adj.) = *habile, intelligent, malin* et *élégant, chic, coquet.*

4. **to rub** = *frotter, frictionner*; **I rub my face** = (litt.) *je me frotte le visage.*

5. **of course he is** = **of course he is** [going to like it].

6. **hotchpotch** (subs.) (du français *hocher, secouer* et *pot*) = *mélange confus.*

7. **look** (subs.) = *regard, aspect, apparence*; **this is a finished look** = (litt.) *cela a un aspect fini.*

8. **to snap** = *claquer, faire un bruit sec (dents, fouet...)*; **to snap a photo** = *prendre une photo.*

— Hello! dit Arabella depuis la porte. Je ne fais que passer pour prendre mon parapluie. Fizz m'a dit que vous veniez. N'est-ce pas joli?

— Charmant, dis-je poliment. C'est très chic. Sauf...

— Sauf quoi?

Je me frotte les yeux, pas très sûre de savoir comment dire cela.

— Arabella, êtes-vous sûre que votre... copain va aimer?

— Bien sûr que oui! dit-elle. Avant, c'était un horrible méli-mélo. Maintenant, ça ressemble à quelque chose.

— Mais ne pensez-vous pas... Ne préférerait-il pas...

— Je pense que je connais mon propre petit ami, m'interrompt Arabella sur la défensive. Il va adorer.

— Mais...

— Avez-vous un petit ami, Emma?

— Non, dis-je après une pause. Non, je n'en ai pas.

Les yeux d'Arabella scrutent mon visage avec dédain et je peux voir les mots « pas étonnant » s'écrire dans une bulle au-dessus de sa tête. Puis elle sort de la pièce en claquant les talons – et un instant plus tard, j'entends la porte d'entrée se fermer.

Je regarde fixement le mur nu devant moi. Propre et préparé, prêt à être tapissé. Le papier peint aussi est prêt, coupé en lés. Fizz a raison – ça va être rapide.

---

9. **dismissively** (adv.) = *dédaigneusement, de façon méprisante*; de **dismissive** (adj.) = *méprisant, dédaigneux.*

10. **no wonder** = *pas étonnant*; **to wonder at** = *s'étonner, s'émerveiller de.*

11. **thought-bubble** = (litt.) *bulle de pensée (dans les bandes dessinées).*

12. **she taps out of the room** = *elle sort de la pièce en tapant [des pieds]* (on traduit la postposition par le verbe, **out** = *dehors* et le verbe par un complément de manière **to tap** = *taper légèrement, tapoter*).

13. **to cut (cut, cut)** = *couper.*

14. **length** = *longueur, durée*; le papier peint est coupé en longueurs, c'est-à-dire en lés (bandes de papier peint ou de tissu).

But something is building up[1] inside me; something hot and heavy, like a scream[2].

Before I can stop myself, I'm reaching for a paintbrush and a pot. I'm opening the pot and dipping[3] the brush in, and writing on the blank[4], empty wall. *Things you don't know about David.*

1. He hates pink.

I breathe out[5], feeling a small satisfaction. And then, almost at once, I'm dipping the brush in again, and scrawling[6] some more.

2. If he says he likes being called Dee-Dee, he's lying[7].
3. He used to kiss my hair goodnight[8].

I write and write, feverishly[9] dragging the ladder to the wall, using up nearly a whole pot of paint. Soon I'm not just writing about David, I'm writing about me – about all the mistakes I made, all the regrets I've had.

About my months abroad, about South America, about the crash. The way the plastic surgeons[10] skilfully[11] rebuilt my face afterwards[12]. How although I recognized myself, it was a different me.

Like a junkie[13], I just can't stop. Words and words; everything I've wanted to say for years and never have.

---

1. **to build** = *construire, bâtir* ; **to build up** = *développer, constituer, augmenter, monter.*

2. **scream** (subs.) = *hurlement, cri perçant* ; **to scream** = *hurler, pousser des cris.*

3. **to dip** = *plonger, tremper.*

4. **blank** = *blanc, vide, vierge* ; *blanc (couleur)* = **white.**

5. **to breathe** = *respirer* ; **to breathe out** = *(respirer vers l'extérieur) expirer.*

6. **to scrawl** (péj.) = *griffonner, gribouiller.*

7. **he's lying** = *il ment, mentir* = **to lie (lied, lied)**, à ne pas confondre avec **to lie (lay, lain)** = *être couché.*

8. **he used to kiss my hair goodnight** = (litt.) *il avait l'habitude d'embrasser mes cheveux [pour me dire] bonne nuit.*

Mais quelque chose est en train de prendre forme à l'intérieur de moi ; quelque chose de chaud et de lourd, comme un cri.

Avant de pouvoir m'arrêter, j'attrape un pinceau et un pot de peinture. J'ouvre le pot, y plonge le pinceau et écris sur le grand mur blanc et vide. *Choses que tu ne sais pas à propos de David.*

1. Il déteste le rose.

Je souffle, ressentant une petite satisfaction. Et puis, presque tout de suite, je trempe de nouveau le pinceau et recommence à gribouiller.

2. S'il dit qu'il aime qu'on l'appelle Dee-Dee, il ment.
3. Il avait l'habitude de m'embrasser les cheveux pour me souhaiter bonne nuit.

J'écris encore et encore, en tirant fébrilement l'escabeau le long du mur et en utilisant un pot de peinture presque entier. Rapidement, je n'écris plus seulement à propos de David, mais à propos de moi, de toutes les erreurs que j'ai faites, de tous les regrets que j'ai.

À propos des mois passés à l'étranger, à propos de l'Amérique du Sud, à propos du crash. De la manière dont les chirurgiens plastiques ont habilement reconstruit mon visage après l'accident. Du fait que, même si je me reconnaissais, j'étais devenue une personne différente.

Comme une droguée, je ne peux tout simplement pas m'arrêter. Des mots et des mots ; tout ce que je voulais dire depuis des années sans jamais le faire.

---

9. **feverishly** (adv.) = *fiévreusement, fébrilement* ; de **fever** = *fièvre*.

10. **surgeon** (subs.) = *chirurgien* ; **surgery** = *chirurgie* ; **surgical** (adj.) = *chirurgical*.

11. **skilfully** (br.) = **skillfully** (am.) = *habilement, adroitement* de **skill** = *aptitude, habileté*.

12. **afterwards** (adv.) = *après, ensuite*.

13. **junkie** (subs.) = *drogué, camé* ; **junk** (subs.) = *bric-à-brac, vieillerie, saletés (au pl.), navet (film)*.

When I've finished, the whole wall is covered in[1] writing and I'm exhausted. I lie[2] on the floor for a long while[3], staring up at the ceiling rose. At last, calmly, I get up. I have a drink of water, and take a deep breath. Then I mix my paste[4], climb up[5] the ladder again and begin to paste length after length of fuschia pink paper to the wall.

Just as I'm on the last length I hear a key in the lock[6] of the front door.

'If you're here to help, you're too late,' I call out[7] cheerfully[8]. I'm feeling happier[9] than I have for months. It's an effort, putting up wallpaper by yourself[10], and I know my bad leg will throb[11] tomorrow. But even so, I feel as though months of tension have drained away, leaving me light and optimistic. As I turn to greet[12] Fizz, I'm actually[13] smiling.

Except it's not Fizz.

We stare at each other in a shocked silence. The air seems to be prickling at my face.

'Hi,' I say at last in a strangled voice.

'Hi.' David puts his hand to his head. 'What – what are you –'

'I'm helping out[14]. It's a... it's a long story...' My voice doesn't seem to be working[15] properly[16]. Suddenly I remember I haven't pasted down the last length of paper. I turn back to the wall and quickly smooth it flat[17]. When I look back, he's watching me with that look.

---

1. **covered in** = **covered with** = *couvert dè*.

2. **to lie (lay, lain)** = *être couché*.

3. **while** (conj.) = *pendant que, tandis que*; **while** (subs.) = *temps, moment*.

4. **paste** (subs.) = *pâte, colle*; **to paste** = *coller*.

5. **to climb (up)** = *grimper*. NB : le **b** de **climb** [klaɪm] ne de prononce pas.

6. **lock** (subs.) = *serrure, cadenas, verrou*; **to lock** = *fermer à clef, verrouiller*.

7. **to call out** = *appeler (en criant)*.

8. **cheerfully** (adv.) = *gaiement, avec entrain*; **cheer** (subs.) = *hourra, acclamation*.

9. **happier than** = *plus heureux que* (comparatif de **happy**).

10. **by yourself** = *par toi-même, tout seul*.

11. **to throb** = *battre fort, palpiter*. Ex. : **my head is throbbing** = *j'ai un mal de tête lancinante*.

Quand j'ai fini, le mur entier est couvert d'écritures et je suis épuisée. Je reste longtemps allongée sur le sol à fixer le plafond rose. Au bout d'un moment, calmement, je me relève. Je bois un verre d'eau et inspire profondément. Ensuite je mélange ma colle, grimpe de nouveau sur l'escabeau et commence à coller le papier peint fuschia sur le mur, lé après lé.

Au moment où je pose le dernier lé, j'entends la clé tourner dans la serrure de la porte d'entrée.

— Si tu reviens pour m'aider, c'est trop tard, je crie avec entrain.

Je me sens plus heureuse que je ne l'ai été depuis des mois. C'est physique de poser du papier peint tout seul, et je sais que ma mauvaise jambe va me lancer demain. Mais malgré cela, j'ai la sensation que des mois de tension se sont envolés, me laissant légère et optimiste. Au moment où je me retourne pour saluer Fizz, je suis même en train de sourire.

Sauf que ce n'est pas Fizz.

Nous nous regardons dans un silence choqué. L'air semble me picoter le visage.

— Salut, finis-je par dire d'une voix étranglée.

— Salut. (David se touche le front.) Que... Qu'est-ce que tu...

— J'aide. C'est... C'est une longue histoire...

Ma voix ne semble pas fonctionner normalement. D'un seul coup, je me souviens que je n'ai pas encore collé le dernier lé de papier. Je me retourne vers le mur et l'applique rapidement. Quand je regarde en arrière, il est en train de me fixer de ce fameux regard.

---

12. **to greet** = *saluer, accueillir avec quelques paroles aimables*; **greeting** (subs.) = *salutation, salut*; **greetings** (subs. pl.) = *vœux* (**greetings card** = *carte de vœux*).

13. **actually** = *réellement, en fait, en réalité*; de **actual** (adj.) = *réel, véritable*.

14. **to help (out)** = *aider*.

15. **to work** = *travailler*, mais aussi *fonctionner*.

16. **properly** = *correctement*; **proper** (adj.) = *convenable, approprié, correct*.

17. **I smooth it flat** = *je le colle bien à plat* (**to smooth** = *lisser, aplanir* et **flat** (adj.) = *plat*); **smoothie** (anglicisme passé en français) = *boisson à base de fruits mixés, de glace pilée et de yaourt*.

'Are you all right? You look[1]... different. Your face...'

I duck[2] my head down and lift[3] my hands defensively to my chin, feeling the familiar scar line; the rough[4] scar tissue[5] which will never go away.

'I'm fine,' I say, running my eyes over the papered wall, searching for bubbles. But it's perfect. A flawless[6] finish. 'I... I have to go. It should dry all right if you just leave it.'

As I gather[7] my things, my hands are trembling. I look up, and see that he's finally noticed the wallpaper.

'I didn't choose it,' I mutter as I pass him. 'Don't blame me.'

A few weeks go by[8], and Fizz has somehow snaffled[9] two new clients, who occupy all her waking[10] thoughts. I don't hear an awful lot more about David or Arabella – until Fizz tells I've been invited to the 'new-look flat christening[11] party'. Fizz is determined to use it as a promotional event and equally determined I should come too. She dismisses[12] all my excuses and keeps[13] demanding, 'Why not?' And after a while I start to think, 'Why not?' myself. I'm strong enough[14] to face him. I can do it.

Besides[15] which I have a secret desire to see him being called 'Dee-Dee' in public.

---

1. **to look** = *sembler, avoir l'air, paraître* ; **to look like** = *ressembler*.

2. **to duck down** = *baisser la tête, plonger sous l'eau [comme un canard]* ; **duck** = *canard*.

3. **to lift** = *lever, soulever* ; **lift** (subs., br.) = *ascenseur* = **elevator** (am.).

4. **rough** (adj.) = *rude, rugueux, grossier, brutal*.

5. **tissue** (subs.) = *tissu (anatomie)* mais aussi *mouchoir en papier* ; *tissu* (textile) se dit **fabric**.

6. **flawless** (adj.) = *sans défaut, parfait* de **flaw** (subs.) = *défaut, imperfection, point faible* et **less** = *moins, sans*.

7. **to gather** = *assembler, rassembler, recueillir (informations), cueillir (fleurs, fruits), ramasser*.

— Est-ce que tu vas bien ? Tu as l'air... différente. Ton visage...

Je baisse la tête et je touche mon menton, sur la défensive, sentant sous mes doigts la cicatrice familière ; cette marque rugueuse qui ne disparaîtra jamais.

— Ça va, dis-je en parcourant des yeux le mur fraîchement tapissé, à la recherche de bulles.

Mais c'est parfait. Une finition impeccable.

— Je... Je dois y aller. Ça devrait sécher sans problème sans y toucher.

En rassemblant mes affaires, j'ai les mains qui tremblent. Je lève la tête et vois qu'il a fini par remarquer le papier peint.

— Ce n'est pas moi qui l'ai choisi, murmuré-je en passant près de lui. Ce n'est pas ma faute.

Quelques semaines passent et aussi étonnant que cela puisse paraître, Fizz a raflé deux nouveaux clients qui occupent toutes ses pensées éveillées. Je n'ai plus beaucoup entendu parler de David ou Arabella – jusqu'à ce que Fizz me dise que j'étais invitée à la « fête de pendaison de crémaillère du nouvel appartement ». Fizz est déterminée à utiliser cette fête comme événement promotionnel et tient absolument à ma présence. Elle balaye toutes mes excuses et n'arrête pas de demander : « Pourquoi pas ? » Au bout d'un moment, moi aussi je commence à penser : « Pourquoi pas ? ». Je suis assez forte pour l'affronter. Je peux le faire.

En plus de ça, je rêve secrètement de l'entendre être appelé « Dee-Dee » en public.

---

8. **to go by** = *passer, s'écouler* (comme ici) mais aussi *suivre, respecter*.

9. **to snaffle** (fam. br.) = *piquer (voler), rafler*.

10. **to wake (up)** = *(se) réveiller* ; **waking hours** = *heures de veille*.

11. **christening** (subs.) = *baptême* ; **to christen** = *baptiser, nommer, appeler*.

12. **to dismiss** = *congédier, renvoyer, licencier, chasser, éloigner*.

13. **to keep** = *garder* ; **to keep doing** = *continuer à faire*.

14. **strong enough** = *assez fort(e)*.

15. **besides** (adv.) = *en outre, en plus*.

When we arrive, people are milling[1] around in the hall, gazing at all the stencils and gold tassels and pound-shop candles with shell-shocked[2] expressions in their faces.

'What do you think?' Says Fizz to me. 'It's frightful[3], isn't it?' She giggles. 'But it's what Arabella wanted. She thought it was fabulous.' She takes a sip[4] of wine. 'Quite ironic they split up[5], really.'

I freeze[6], glass halfway to my lips.

'Split up? What do you mean, split up?'

'Didn't I tell you? They had some huge row. About the wallpaper, apparently! I did recommend[7] something more subtle[8], but she just wouln't listen…'

I take a sip of wine, trying to stay calm.

'Fizz, you know, I think I might leave.'

'You can't go! We've only just – David! Hello!'

'Fizz,' I hear him saying behind me. 'You made it[9].'

'Absolutely! And this is Emma, my creative design consultant.' She pulls at my shoulder[10] and I find myself forced to turn around.

I've prepared a formal, polite expression – but at the sight of his warm, brown gaze, I feel it starting to slip[11].

'We've met[12],' says David. 'Haven't we, Emma?'

---

1. **to mill** = *moudre, broyer* (**mill** (subs.) = *moulin*); **to mill about/around** = *grouiller (foule)*.

2. **shell-shocked** = *choqué par des éclatements d'obus, abasourdi*; **shell** (subs.) = *obus mais aussi coquille, carapace, coquillage*.

3. **frightful** (adj.) = *effroyable, épouvantable, affreux*; **fright** (subs.) = *peur, effroi*; **to frighten** = *effrayer, faire peur à*.

4. **sip** (subs.) = *petite gorgée*.

5. **to split (split, split)** = *fendre, déchirer, diviser*; **to split up** = *rompre (couple)*.

Quand nous arrivons, il y a des gens partout dans l'entrée qui contemplent les peintures au pochoir, les pompons dorés et les bougies de « Tout à une livre », une expression choquée sur le visage.

— Qu'est-ce que tu en penses ? me dit Fizz. Ça fait peur, non ? (Elle glousse.) Mais c'est ce qu'Arabella voulait. Elle pensait que ce serait fabuleux. (Elle boit une gorgée de vin.) Plutôt ironique qu'ils aient rompu, c'est sûr.

Je me fige, le verre à mi-chemin de mes lèvres.

— Rompu. Comment ça, rompu ?

— Je ne t'ai pas dit ? Ils ont eu une énorme dispute. À propos de papier peint apparemment ! Moi j'avais recommandé quelque chose de plus subtil, mais elle n'a rien voulu entendre...

Je prends une gorgée de vin en essayant de rester calme.

— Fizz, tu sais, je crois que je devrais y aller.

— Tu ne vas pas partir ! On vient juste... David ! Bonsoir !

— Fizz, l'entends-je dire derrière moi. Vous avez pu venir.

— Absolument ! Et voici Emma, ma consultante en création design.

Elle me tire par le bras et je suis obligée de me retourner.

J'avais préparé une expression très formelle et polie – mais en voyant ses yeux marron, si chauds, je sens qu'elle commence à m'échapper.

— Nous nous connaissons, dit David. N'est-ce pas, Emma ?

---

6. **to freeze (froze, frozen)** = *geler, rester cloué sur place, se raidir.*

7. **I did recommend** = *j'ai pourtant recommandé* ; voir note 8, p. 31.

8. **subtle** (adj.) = *subtil, rusé, astucieux.* NB : le **b** ne se prononce pas en anglais [sʌtl].

9. **to make it** = *arriver à temps, réussir.*

10. **she pulls at my shoulder** = (litt.) *elle me tire l'épaule.*

11. **to slip** = *glisser, (s')échapper* (comme ici).

12. **we've met** = *nous nous sommes rencontrés* = *nous nous connaissons.*

'So!' says Fizz, swigging[1] back her wine and pouring[2] another one. 'Doesn't it all look fab[3]? Let's go and look at the sitting room! The *pièce de résistance*!'

'Yes,' says David, and shoots me a swift[4] glance. 'I think you might be quite interested to see that.'

'So sorry to hear about you and Arabella,' I can hear Fizz saying as we walk across[5] the hall. 'Was it really the wallpaper?'

'Not the wallpaper, exactly –' he replies[6], and opens the door to the sitting room with a flourish[7].

And my heart stops still[8].

The facing[9] wall is completely blank. All that fuschia-pink paper I put up has gone – and it's been repainted in a light[10], string-like[11] colour.

'Hang on[12]!' says Fizz, peering puzzledly ahead. 'What's happened to the wallpaper? Who pulled it off[13]?'

'I did,' says David.

'But why?'

'Good question,' says David. 'I had a hunch[14] I might like to see it uncovered.' He shoots me a deadpan[15] look. 'And I'm pleased I did. It was very... illuminating[16].'

---

1. **to swig** = *boire à grands traits*.
2. **to pour (into)** = *verser (dans)*.
3. **fab** = **fabulous** = *fabuleux*.
4. **swift** (adj.) = *rapide, prompt*.
5. **across** (prép.) = *à travers*.
6. **to reply (to)** = *répondre, répliquer (à)*.
7. **flourish** (subs.) = *paraphe, grand geste, fioriture*.
8. **still** (adj.) = *immobile, calme, silencieux* (ex. : **still water** = *eau plate*); **to stop still** = *s'arrêter net*.
9. **to face** = *faire face, affronter*; **the facing wall** = *le mur qui nous fait face*; **facing** (subs.) = *parement, revêtement*.
10 **light** (adj.) = *léger, clair*; **light** (subs.) = *lumière*; **to light (lit, lit)** = *allumer*.

— Alors ! dit Fizz, en avalant son verre d'un trait et en s'en servant un autre. Est-ce que tout n'est pas super ? Allons jeter un œil au salon ! Le plat de résistance !

— Oui, dit David, et il me jette un rapide coup d'œil. Je pense que ça va vous intéresser.

— Au fait, j'ai été désolée d'apprendre pour vous et Arabella, entends-je dire Fizz, alors que nous traversons l'entrée. Est-ce que c'était vraiment à cause du papier peint ?

— Pas exactement le papier peint..., répond-il, et il ouvre la porte du salon d'un grand geste.

Et mon cœur s'arrête net.

Le mur est complètement vide. Tout le papier peint fuschia que j'ai posé a disparu – et le mur a été repeint dans une teinte pastel, couleur ficelle.

— Attendez ! dit Fizz, en scrutant le mur, perplexe. Qu'est-il arrivé au papier peint ? Qui l'a enlevé ?

— C'est moi, dit David.

— Mais pourquoi ?

— Bonne question, dit David. J'ai eu l'intuition que ça pourrait me plaire de voir ce mur nu. (Il me lance un regard impassible.) Et je suis heureux de cette décision. C'était très... éclairant.

---

11. **string-like** = *semblable à une ficelle* ; **string** (subs.) = *ficelle, corde (violon...), file (voitures)...*

12. **hang on !** = *attendez !, ne quittez pas ! (tél)* ; **to hang (hung, hung)** = *pendre, accrocher, suspendre.*

13. **to pull off sth from sth** = *enlever, détacher, retirer qqch de qqch* ; **to pull** = *tirer* ; **to push** = *pousser.*

14. **hunch** (subs.) = *pressentiment*, mais aussi *bosse* ; **the Hunchback of Notre Dame** = *le bossu de Notre-Dame.*

15. **deadpan** (adj.) = *impassible, pince-sans-rire*, de **dead** = *mort* et **pan** = *casserole* mais aussi *visage, tronche* (argot).

16. **illuminating** (adj.) = *qui éclaire la situation, qui apprend des choses.*

My heart's thudding. I can't meet his eye. All those[1] things I wrote. Things about him, about me, about Arabella. In huge painted letters, from ceiling to floor.

'But what did Arabella say?' Fizz's demanding. 'Wasn't she furious?'

'Arabella?' He pauses thoughtfully. 'I have to admit – she wasn't too pleased. Especially when she saw[2] the evidence.'

'Well, I'm not surprised!' says Fizz. 'I mean, that wallpaper wasn't cheap[3]! Designer's Guild, twenty-eight quid a roll. I mean… thirty-eight quid,' she hastily[4] amends[5], 'including unavoidable[6] surcharges. It's all perfectly clear on the invoice…'

'What do you think, Emma?' says David lightly. 'Do you think I made the right choice? Or should I have left it as it was?'

I can feel the blood pulsing in my ears[7]. My fingers are slippery[8] around my glass.

'I think you made the right choice.' I say at last. 'Because now at least[9] you know.'

He's staring straight[10] at me, and very slowly, I tilt[11] my face upwards[12]. I see his eyes running over the scar line along my chin. The place where they[13] made a new me.

'So listen, David,' says Fizz, leaning forward confidentially. 'Tell me honestly, I won't be hurt. Do you *like* this decor?'

---

1. **those** = *ces* ou *ceux-ci* (adj. ou pronoms démonstratifs) ; c'est le pl. de **that** ; **these** = *ces* ou *ceux-là* est le pl. de **this**.

2. **to see (saw, seen)** = *voir*.

3. **cheap** (adj.) = *pas cher, bon marché* ; **expensive** = *cher, coûteux* ; **expense** (subs.) = *dépense, frais*.

4. **hastily** (adv.) = **quickly** = *à la hâte, précipitamment, sans réfléchir* ; **hasty** (adj.) = *précipité*.

5. **to amend** = *modifier, amender, corriger* ; **amendment** (subs.) = *modification, amendement*.

6. **unavoidable** (adj.) = *inévitable*, de **to avoid** = *éviter*.

7. **I can feel the blood pulsing in my ears** = (litt.) *je sens mon sang battre à mes oreilles* ; **pulse** (subs.) = *pouls, pulsation, battement*.

Mon cœur cogne dans ma poitrine. Je ne peux pas croiser son regard. Toutes ces choses que j'ai écrites. Des choses à propos de lui, de moi, d'Arabella. En immenses lettres peintes, du sol au plafond.

— Mais qu'a dit Arabella ? demande Fizz. Elle n'a pas été furieuse ?

— Arabella ? (Il se tait pensivement.) Je dois l'admettre – elle n'était pas très contente. Surtout quand elle dû se rendre à l'évidence.

— Eh bien, je ne suis pas surprise ! dit Fizz. Oui, ce papier peint n'était pas donné ! Designer's Guild, vingt-huit livres le rouleau. Je veux dire... trente-huit livres se corrige-t-elle en hâte, en incluant les charges inévitables. Tout est parfaitement clair sur la facture...

— Qu'en pensez-vous, Emma ? dit David d'un ton léger. Pensez-vous que j'ai fait le bon choix ? Ou aurais-je dû laisser les choses comme elles étaient ?

Je sens le sang battre à mes tempes. Mes mains sont moites autour de mon verre.

— Je pense que vous avez fait le bon choix, dis-je finalement. Parce que maintenant, au moins, vous savez.

Il me regarde droit dans les yeux, et très lentement, je lève la tête. Je vois ses yeux, s'attarder sur la cicatrice sur mon menton. Là où on a fait de moi quelqu'un de neuf.

— Bon, écoutez, David, dit Fizz sur le ton de la confidence, en se penchant vers lui. Soyez honnête, je ne serai pas vexée. Vous aimez cette décoration ?

---

8. **slippery** (adj.) = *glissant* de **to slip** = *glisser*.

9. **at least** = *au moins, du moins* (**least** = superlatif de **little**) ; **at most** = *tout au plus*.

10. **straight** (adj.) = *rectiligne, (bien) droit*. NB : **straight** signifie également *hétéro(sexuel)*.

11. **to tilt** = *pencher, incliner*.

12. **upwards** (adv.) = *vers le haut*.

13. **they** = *ils, elles* ; ici le pronom est indéfini, c'est pourquoi nous l'avons traduit par *on*.

'Truthfully?[1]' He takes a swig of wine. 'I loathe[2] it.'

'Me too!' says Fizz. 'Isn't it awful? But it's what Arabella wanted. A Barbie palace. Barbie and Dee-Dee.'

'I miss what I used to have,' says David, and his brown eyes meet mine with a sudden affection. 'Whether[3] it's ever possible to go back... What do you think, Emma?'

There's a long silence.

'Not go back, exactly,' I say. 'But maybe... start over[4]?'

'Well!' Fizz's voice rings out[5] triumphantly. 'You're in luck, because my new venture[6] offers exactly that service. "Restore a room. Has a designer wrecked[7] your house? We'll put things back the way you always liked them – but better!" Honestly, this one is going to be a complete winner[8]...'

---

1. **thruthfully** (adv.) = *en disant la vérité* ; **truthful** (adj.) = *sincère, honnête, véridique* de **truth** (subs.) = *vérité*.

2. **to loathe (doing sth)** = *détester (faire qqch)* ; **loathsome** (adj.) = *répugnant, détestable*.

3. **whether** (conjonction introduisant les propositions interrogatives indirectes) = **if** = *si*. Ex. : **I don't know whether it's true** = *je ne sais pas si c'est vrai*.

— Vous voulez la vérité ? (Il prend une gorgée de vin.) Je l'exècre.

— Moi aussi ! dit Fizz. C'est affreux, non ? Mais c'est ce qu'Arabella voulait. Un palais de Barbie. Barbie et Dee-Dee.

— Ce que j'avais avant me manque, dit David, et ses yeux marron rencontrent les miens avec une affection soudaine. Si tant est qu'il soit possible de revenir en arrière... Qu'en pensez-vous, Emma ?

Un long silence.

— Pas revenir en arrière exactement, dis-je. Mais peut-être... prendre un nouveau départ ?

— Bien ! (La voix de Fizz retentit triomphalement.) Vous avez de la chance, parce que ma nouvelle entreprise offre exactement ce service. « Restaurez-une-pièce. Un décorateur a massacré votre maison ? Nous remettons les choses dans leur état initial – en mieux ! » Honnêtement, cette fois, je crois que c'est le succès assuré !

---

4. **to start** = *commencer* ; **to start over** = **to start again** = *recommencer.*

5. **to ring out (rang, rung)** = *sonner, retentir.*

6. **venture** = *entreprise (hasardeuse, risquée).*

7. **to wreck** = *faire naufrage, démolir, détruire, saboter* ; **wreck** (subs.) = *épave, débris.*

8. **a complete winner** = *un vainqueur total.*

Lauren Weisberger

The Bamboo Confessions

Les confessions de bambou

I knew the moment I'd arrived in the lobby[1] of the oddly[2] named Viet-Tang Hotel for our group's 6 p.m. meeting that I'd made the biggest mistake of my life. Actually, that's a lie[3]: I really knew from the moment I impulsively added this 'adventure trip' to my shopping cart online[4] that it was a huge lapse[5] in judgement, but I hadn't admitted it to myself until I'd laid eyes on everyone else[6]. The nearly two full days of flying from Newark[7] to Dubai to Kuala Lumpur to Hanoi had obviously sucked[8], as had the hottest, dirtiest cab ride[9] from the airport to the center of town, but nothing compared to actually seeing my new travel mates. Gone were all my carefully cultivated fantasies[10] of exotic, sophisticated foreigners who would want to dissect[11] current events and politics late into the night. Absent were all the beautiful-yet-sensitive[12] men who would compete to charm and delight me and be crushed[13] when they heard I was already taken. Missing was anyone who looked remotely[14] appealing in any way, shape, or form[15].

My mother's voice rang[16] in my ears. 'Honey, I just don't think this little trip is a good idea. You *hate* to be alone. Why do you want to go halfway around the world to some godforsaken[17] country all by yourself?'

---

1. **lobby** (subs.) = *couloir, antichambre, vestibule, entrée, hall.*

2. **oddly** = *bizarrement, étrangement* ; **odd** (adj.) = *bizarre.*

3. **that's a lie** = *c'est un mensonge.*

4. **shopping cart online** = *panier électronique* (dans lequel on place les achats effectués sur Internet).

5. **lapse** (subs.) = *erreur, faute, défaillance* = **mistake.**

6. **I hadn't admitted it to myself until I'd laid eyes on everyone else** = (litt.) *Je ne me l'étais pas avoué à moi-même jusqu'à ce que j'aie posé les yeux sur tous les autres.*

7. **Newark** est une ville de l'État du New Jersey située près de New York. Elle accueille le second plus important aéroport de l'agglomération new-yorkaise (situé à 15 km de Manhattan).

8. **to suck** (am.) = *être merdique* ; **to suck** = *sucer.*

9. **ride** (subs.) = *tour (en vélo, en moto, en voiture...), promenade, course (taxi).*

J'ai su, au moment où je suis entrée dans le vestibule du bizarrement nommé hôtel Viet-Tang pour notre conférence de groupe de six heures, que j'avais fait la plus grosse erreur de ma vie. En réalité, ce n'est pas vrai : j'avais su très clairement, dès l'instant où j'avais ajouté ce « séjour d'aventures » à mon panier électronique, que c'était une énorme erreur de jugement, mais je n'avais pas voulu le reconnaître jusqu'à ce que je voie le reste du groupe. Les presque deux jours entiers de voyage de Newark à Hanoi en passant par Dubaï et Kuala Lumpur avaient évidemment été merdiques, tout comme la course en taxi de l'aéroport au centre-ville, la plus chaude et la plus sale que j'aie jamais connue, mais ce n'était rien en comparaison de la rencontre avec mes nouveaux compagnons de voyage. Adieu mes fantasmes soigneusement entretenus d'étrangers exotiques et sophistiqués qui se lanceraient dans de grandes discussions sur l'actualité et la politique jusque tard dans la nuit. Aucune trace des hommes beaux mais sensibles qui devaient se battre pour me charmer et me séduire et être effondrés en découvrant que j'étais déjà prise. Personne de vaguement séduisant à l'horizon.

La voix de ma mère résonna dans mes oreilles.

— Ma chérie, je ne pense pas que ce petit voyage soit une bonne idée. Tu *détestes* être seule. Pourquoi veux-tu traverser la moitié du globe jusqu'à je ne sais quel trou perdu ?

---

10. **fantasy** = *fantasme* ; *fantaisie* = **imagination**.

11. **to dissect** = *disséquer*.

12. **sensitive** (adj.) = *sensible* ; attention, **sensible** = *sensé, raisonnable*.

13. **to crush** = *écraser, comprimer, broyer* ; **to have a crush on sb** = *avoir le béguin pour qqn*.

14. **remotely** (adv.) = *loin, au loin, de loin*.

15. **in any way, shape or form** = *de quelque manière que ce soit* ; **shape** (subs.) = **form** = *forme, silhouette*.

16. **to ring (rang, rung)** = *sonner, résonner*.

17. **godforsaken** (adj. péjoratif) = *perdu, paumé et affreux* (*endroit où l'on n'a pas envie de rester*), de **god** = *dieu* et **to forsake (forsook, forsaken)** = *abandonner, délaisser* (**godforsaken** = (litt.) *abandonné de Dieu*).

I'd tried to explain that it was just that – the fact that I'd never done anything *remotely* spontaneous before, that I hadn't so much as had lunch by myself in the six years since graduating[1] from college[2], but she hadn't understood. Neither had anyone else.

'You're going *where*?' My father had asked when I announced my plan during one of my mandatory[3], bimonthly visits to their house in Westchester[4], finally looking up from the *Wall Street Journal* for what must have been the first time in my adult life.

'Vietnam. For a backpacking[5] trip. There will be a group of eight, people from all over the world[6], and we'll have a leader[7] who will take us through[8] the country. I think it'll be amazing,' I said, not a little defensively[9], trying to convince myself as much as him.

'Humph,' he exhaled, and buried[10] his face back between the pages. 'I spent some of the best years of my life trying to avoid that hellhole[11] and now my kid's paying to go. Pretty damn[12] ironic if you ask me.' End of discussion.

Their doubts made it all the more[13] appealing, of course. You don't have to be some angsty[14] teenager[15] to find enormous satisfaction in pissing off[16] your parents, that much was sure.

---

1. **to graduate** = *obtenir un diplôme* (*licence*).

2. **college** (am.) = *établissement d'enseignement supérieur*; *lycée* = **high school**.

3. **mandatory** (adj.) = *obligatoire* = **compulsory**, **obligatory**.

4. Le **comté de Westchester** est l'un des soixante-deux comtés de l'État de New York. Son chef-lieu est la ville de **White Plains**.

5. **backpack** (subs.) = *sac à dos*; **backpacker** = *randonneur, routard* (*voyageur avec un sac à dos*); **backpacking** = *randonnée*, **to go backpacking** = *aller faire de la randonnée*.

6. **all over the world** = *tout autour du monde*.

7. **to lead** (**led**, **led**) = *mener, conduire, guider*; **leader** (subs.) = *guide, meneur*.

8. **through** (prép.) = *à travers*.

J'avais essayé de lui expliquer que c'était justement ça le problème – n'avoir jamais fait quoi que ce soit d'un tant soit peu spontané jusqu'à maintenant, avoir à peine osé déjeuner toute seule en six ans, depuis mon diplôme universitaire, mais elle n'avait pas compris. Les autres non plus, d'ailleurs.

— Tu vas *où* ?, m'avait demandé mon père quand j'avais annoncé mon projet lors d'une de mes deux visites mensuelles obligatoires dans leur maison de Westchester, en daignant enfin lever les yeux de son *Wall Street Journal* sans doute pour la première fois de ma vie d'adulte.

— Au Vietnam. Pour un voyage routard. Nous serons un groupe de huit, des gens des quatre coins du monde, et nous aurons un guide qui nous fera découvrir le pays. Je suis sûre que ça va être génial, avais-je répondu, carrément sur la défensive, tâchant de me convaincre moi-même autant que lui.

— Humph, avait-il soupiré, avant de se replonger dans son journal. J'ai passé quelques-unes des plus belles années de ma vie à tout faire pour éviter cet enfer et maintenant ma fille paye pour y aller. Sacrément ironique si vous voulez mon avis.

Fin de la discussion.

Leurs doutes avaient rendu ce voyage d'autant plus attirant, évidemment. Pas besoin d'être une ado révoltée pour trouver extrêmement satisfaisant d'emmerder ses parents, ça c'est sûr.

---

9. **not a little** = *pas un peu = très.*

10. **to bury** = *enterrer, ensevelir.*

11. **hellhole** (subs.) = *boui-boui,* de **hell** = *enfer* et **hole** = *trou.*

12. **pretty** (adv.) = *plutôt* ; **damn** (adv.) = **damned** = *vachement, sacrément* ; ex. : **it's damned hot** = *il fait sacrément chaud.* NB : le **n** de **damn** ne se prononce pas [dæm].

13. **all the more** = *d'autant plus.*

14. **angsty** (adj.) = *qui ressent de la colère et de l'anxiété.*

15. **teenager** = *adolescent* (entre **thirteen** et **nineteen** : âge en –**teen**).

16. **to piss off** (argot) = *foutre le camp, faire chier* ; **to be pissed off** = *en avoir plein (ras) le cul.*

But I did have to admit, this was not what I had pictured[1] when I'd carefully packed my cutest[2] sundresses[3] and shopped for weeks for hiking[4] boots with the perfect combination of ruggedness and femininity. Staring back at me when I walked into the little lobby food area (calling it a restaurant would be like calling a kite Air Force One[5]) were[6] nine exhausted, weathered, and mostly unattractive faces, although I did notice one irritatingly beautiful couple massaging each other's[7] necks right there at the table. I self-consciously adjusted the bandanna I'd tied[8] just so[9] over my hair – just enough to look bohemian and chic at the same time – and took the last remaining bamboo chair.

'Hi, all! Welcome to Hanoi! My name's Claire, but you can all just call me... Claire!' She howled[10]. And, horrifyingly, so did everyone else. 'I'll be your group leader for the next three weeks, so let's just get some of this here[11] paperwork out of the way and then we can get[12] to know each other.' Her Australian accent irritated me immediately, but I dutifully[13] filled in my passport number and signed my pledge[14] that I wouldn't sue anyone if an early[15] Vietnamese death found me in the next twenty-one days. Worthless[16] little paper, I thought.

---

1. **to picture** = *s'imaginer, se représenter.*

2. **cutest** = superlatif de **cute** (adj.) = *mignon.*

3. **sundress** = *robe d'été, robe bain de soleil,* de **sun** = *soleil* et **dress** = *robe.*

4. **to hike** = *faire une promenade à pied, une randonnée.*

5. **Air Force One** est le nom de code donné à l'avion dans lequel voyage le président des États-Unis.

6. **Staring back at me [...] were nine faces** = *me regardaient neuf visages* (inversion du verbe et du sujet).

7. **each other** = *l'un l'autre* ; **each other** est un pronom réciproque (invariable) qui exprime l'échange d'actions, de sentiments entre deux sujets ; ex. : **they hate each other** = *ils se détestent.*

8. **I'd tied** = **I had tied** ; **to tie (up)** = *attacher, nouer* ; **to knot** [nɒt] = *nouer, faire un nœud* (le **k** ne se prononce pas).

Mais je devais bien l'admettre, ce n'était pas ce que j'avais imaginé quand j'avais soigneusement plié mes plus belles robes d'été dans ma valise et couru les magasins pendant des semaines pour trouver des chaussures de randonnée combinant parfaitement robustesse et féminité. Quand je suis entrée dans le petit hall-salle à manger (appeler cet endroit un restaurant, ce serait comme appeler un cerf-volant Air Force One), je me suis retrouvée face à neuf visages tirés, éreintés et surtout bien peu séduisants, même si j'ai quand même remarqué un couple d'une beauté agaçante, assis à une table, en train de se masser le cou mutuellement. J'ai ajusté avec embarras le bandana que j'avais noué sur mes cheveux à la va-vite – juste comme il fallait pour avoir l'air bohême et chic à la fois – et pris le dernier siège en bambou libre.

— Salut à tous : Bienvenue à Hanoi ! Je m'appelle Claire mais vous pouvez tous m'appeler... Claire !, hurla-t-elle. Et à ma grande horreur, tout le monde fit de même. Je serai votre guide pour les trois prochaines semaines, alors, débarrassons-nous de la paperasse locale, et ensuite nous pourrons faire connaissance. Son accent australien m'a tout de suite agacée, mais j'ai sagement noté mon numéro de passeport et signé mon engagement à ne poursuivre personne en justice si jamais je devais être frappée de mort prématurée au Vietnam dans les vingt et un jours à venir. Petit papier sans valeur, pensai-je.

9. **just so** = *juste comme ça, vite fait, à la va-vite* ; **so, so** = *comme ci, comme ça.*

10. **to howl** = *hurler* ; **to howl with laughter** = *rire à gorge déployée* ; **to howl with pain** = *hurler de douleur.*

11. **this here paperwork** = *ces papiers que voici* ; **paperwork** (subs.) = *papiers, paperasserie.*

12. **to get** (**got, got**) = *procurer, obtenir.*

13. **dutifully** (adv.) = *avec soumission* ; **dutiful** (adj.) = *obéissant, plein d'égards* ; **duty** (subs.) = *devoir* ; *droit* (subs.) = **right.**

14. **pledge** (subs.) = *promesse, vœu, engagement .*

15. **early** (adv.) = *tôt* ; **early** (adj.) = *matinal, précoce, prématuré.*

16. **worthless** (adj.) = *sans valeur*, de **worth** (subs.) = *valeur* et **less** (suffixe) = *moins, sans.*

Either[1] my parents or my boyfriend would bankrupt this company if I came back with anything more than a scraped knee[2]. The joy of having not one, not two, but three attorneys[3] in my life was justification for suicide, but I took comfort in knowing that my death would not go unavenged. That is[4], if Matthew was still speaking to me when I got back.

'You're going *where*?' he'd asked in a frightening parroting[5] of my father, minus[6] the *Journal* but plus the *Financial Times*.

'Matthew, this is something I need to do for me,' I tried to explain, knowing already it was useless. Matt was a great talker – the best, actually. He could wheedle, persuade, explain, narrate, joke, teach, argue[7] and debate, but what he hadn't quite learned yet[8] was how to listen.

'I just don't understand. I thought you were happy with the way things are now[9],' he said, as his eyes scanned the pink pages[10].

We'd finally moved in[11] together after three years of dating[12] when Matt 'surprised' me with a new apartment[13] and the announcement that he'd already notified[14] my best friend and roommate, Isabelle, that I wouldn't be returning.

---

1. **either... or** = *ou... ou, soit... soit.*
2. **anything more than a scraped knee** = (litt.) *quoi que ce soit de plus qu'un genou écorché.*
3. **attorney** (am.) = *avocat* = **lawyer.**
4. **that is** = **that is to say** = *c'est-à-dire.*
5. **parrot** (subs.) = *perroquet*; **to parrot** = *répéter comme un perroquet.*
6. **minus** = *moins*; ex. : **ten minus eight leaves two** = *dix moins huit égale deux.*
7. **to argue** = *discuter, débattre, se disputer, se quereller.*
8. **not... yet** = *pas... encore*; **yet** (adv.) = *cependant.*
9. **the way things are now** = (litt.) *la manière dont les choses sont actuellement.*

Mes parents ou mon petit ami mettraient l'entreprise en faillite si je revenais à la maison avec la moindre écorchure. La joie d'avoir non pas un, non pas deux, mais trois avocats dans ma vie était une raison suffisante pour se suicider, mais je trouvai rassurant de savoir que ma mort ne resterait pas impunie. Enfin... À condition que Matthew me parle toujours à mon retour.

— Tu vas *où* ?, m'avait-il demandé en imitant mon père de manière assez effrayante, le *Wall Street Journal* en moins mais le *Financial Times* en plus.

— Matthew, c'est quelque chose que je dois faire pour moi, avais-je essayé de lui expliquer, tout en sachant très bien que c'était inutile. Matt était un beau parleur – le meilleur, en fait. Il savait cajoler, persuader, expliquer, raconter, plaisanter, enseigner, argumenter et parlementer, mais ce qu'il n'avait pas encore appris, c'était à écouter.

— Vraiment, je ne comprends pas. Je pensais que notre vie actuelle te rendait heureuse, avait-il dit tandis que ses yeux parcouraient les pages roses.

Nous avions fini par emménager ensemble après trois ans de relation, quand Matt m'avait fait la « surprise » de louer un nouvel appartement et de m'annoncer qu'il avait déjà prévenu ma meilleure amie et colocataire, Isabelle, que je ne rentrerais pas.

---

10. **the pink pages** : dans le *Financial Times*, ce sont les pages consacrées à l'actualité économique ; en France, le supplément économique du *Figaro* est imprimé sur des pages saumon.

11. **to move** = *déplacer, bouger* ; **to move in** = *(s')installer, emménager*.

12. **to date** = *dater* mais aussi *se fréquenter* ; **date** (subs.) = *date* mais aussi *rendez-vous*.

13. **apartment** (subs. am.) = *appartement* = **flat** (br.).

14. **to notify** = *annoncer, notifier* ; **to notify the police of sth** = *signaler qqch à la police*.

And I had done what I always did: thanked him for the effort, ignored those nagging[1] insecurities, and followed his lead. He decided, I agreed. This was just the way it worked.

'I am happy,' I pseudo-lied. 'It's just that I've never really done anything on my own[2] before. I think it might be good for me.'

He flipped[3] the page ad sipped some of the expensive red wine he bought by the case[4] according to *Wine Spectator*'s[5] recommendation each month. 'But darling, you hate being alone[6] and I'm just not sure you can handle a place like that yourself.'

I had planned to truss[7] that one out a bit more, but his cell phone[8] rang with a call from the office and he carried it out[9] of the room, most likely to berate an underling[10]. He hadn't mentioned it again, just called a car to take me to the airport two weeks later and gave me a kiss on the cheek when I left. End of discussion.

Claire's screeching brought me back to reality, all one hundred and five degrees[11] of it. Apparently, Intrepid Travel didn't believe in[12] placing their intrepid travelers in air-conditioned hotels. 'More of an authentic experience[13],' Claire had grinned[14] when I asked if this was going to be standard.

---

1. **nagging** (adj.) = *qui revient de façon insistante, tenace.*
2. **on one's own** = *tout seul*; **own** (adj.) = *propre*, ex. : **I saw it with my own eyes** = *je l'ai vu de mes propres yeux.*
3. **to flip** = *(re)tourner vivement (crêpe, carte...)*; ex. : **to flip a coin** = *tirer à pile ou face.*
4. **case** (subs.) = *cas* (ex. : **should that be the case** = *le cas échéant*) mais aussi *caisse, boîte*; **to case** = *mettre en caisse, envelopper.*
5. *Wine's Spectator* est un magazine sur le vin et l'œnologie créé en 1976 ; chaque numéro contient entre 400 et 1 000 critiques (notes de dégustation). C'est le magazine sur le vin le plus lu au monde.
6. **alone** (adj.) = *seul, tranquille* (ex. : **to be alone** = *être seul*, **leave me alone !** = *laisse-moi tranquille !*) ; **lonely** (adj.) = *seul* (ex. : **to feel lonely** = *se sentir seul*).
7. **to truss** = *renforcer (construction), brider (cuisine)*; **truss** (subs.) = *bandage, armature, grappe (de tomates).*

Et j'avais fait ce que je faisais toujours : je l'avais remercié pour ses efforts, j'avais ignoré mes doutes persistants et fait ce qu'il voulait. Il décidait et moi, j'étais d'accord. C'était comme ça que ça marchait.

— Je suis heureuse, avais-je plus ou moins menti. C'est juste que je n'ai jamais vraiment fait quoi que ce soit toute seule avant. Je pense que cela pourrait me faire du bien.

Il avait tourné la page et bu une gorgée du vin rouge hors de prix qu'il achetait par caisse de six en suivant les suggestions du *Wine Spectator's* chaque mois.

— Mais ma chérie, tu détestes être seule et je ne suis pas sûr que tu puisses t'en sortir dans un pays de ce genre.

J'avais prévu de continuer un peu sur ce sujet, mais son téléphone portable avait sonné, c'était son bureau et il était sorti de la pièce pour décrocher, très vraisemblablement pour réprimander un subordonné. Et il n'en avait plus parlé ; il s'était contenté d'appeler un taxi pour m'emmener à l'aéroport deux semaines plus tard, et m'avait embrassée sur la joue quand j'étais partie. Fin de la discussion.

Les cris perçants de Claire me ramenèrent à la réalité et à chacun de ses 40°. Apparemment, Intrepid Travel ne voyait pas l'intérêt de loger ses intrépides voyageurs dans des hôtels climatisés. « Une expérience plus authentique », dit Claire avec un grand sourire quand je demandai si cela allait être systématique.

---

8. **cell phone = cellular phone** = *téléphone cellulaire, téléphone portable* = **mobile (phone)**.

9. **to carry out** = *(trans)porter dehors, effectuer* ; **to carry** = *porter*.

10. **underling** (subs.) = *subalterne, subordonné* ; **under** (prép.) = *sous*.

11. **one hundred and five degrees** = *cent cinq degrés*. Aux États-Unis, la température est mesurée en degrés Fahrenheit tandis qu'en Europe, elle est exprimée en degrés Celsius ; l'eau gèle à 32 degrés Fahrenheit (0 degré Celsius) et bout à 212 degrés Fahrenheit (100 degrés Celsius).

12. **to believe in** = *croire à/en*.

13. **more of an authentic experience = a more authentic experience** = *une expérience plus authentique*.

14. **to grin** = *sourire, faire un large sourire* ; **grin** (subs.) = *grand sourire (on voit les dents)*.

We went around the table introducing[1] ourselves and I was surprised to see that I was the only American. Another first[2]. I'd never been anywhere in my entire life where I could make that claim[3] before. Two girls from Dublin[4] ('Best friends from birth,' they giggled simultaneously), one gangly awkward[5] guy from British Colombia[6] (but *not* Victoria, he rushed to assure us, as though this were equivalent to admitting you were from Baghdad), the gorgeous couple who turned out[7] to be born-and-bred[8] Romans and who'd made the poor, poor[9] decision of sharing their honeymoon with all of us, and two middle-aged women from Melbourne who looked about as well suited[10] for a rough-and-tumble[11] backpacking trip as my great-grandmother Rose.

The good news[12] was that I'd have my own room for the duration of our travels, since the self-loathing[13] British Colombian was male and the leaders always had their own room and everyone else was paired up[14]. Fine, I thought, unlocking my single and trying not to think about having to sleep on the piece of cloth-covered foam[15] in the corner that was designated as a bed.

---

1. **to introduce oneself** = *se présenter*; **to introduce** = *faire connaître, introduire*.

2. **first** (adj.) = *premier*; **first** (subs.) = *premier, première* (ex. : **they won the competition, this is a first for them !** = *ils ont gagné la compétition, c'est une première pour eux !*).

3. **claim** (subs.) = *revendication, réclamation, déclaration*.

4. **Dublin** est la capitale de la république d'Irlande.

5. **gangly** (adj.) = **gangling** = *dégingandé*; **awkward** (adj.) = *maladroit, gauche*.

6. **British Columbia** : la Colombie britannique est la plus occidentale des provinces canadiennes; elle longe la côte pacifique du pays. Son chef-lieu est **Victoria**, à l'extrémité sud-est de l'île de **Vancouver**; la principale métropole de la province est **Vancouver**.

7. **to turn out** = *retourner* (**to turn out a drawer** = *vider un tiroir*), **éteindre** (**to turn out the light** = *éteindre la lumière*), *assister, se révéler*.

8. **born-and-bred** = (litt.) *né et élevé*; **to breed** (**bred, bred**) = *produire, engendrer, élever*.

Nous avons fait un tour de table, nous présentant chacun notre tour, et j'ai découvert avec surprise que j'étais la seule Américaine. Autre première. Je n'étais jamais allée nulle part de toute ma vie où j'avais pu dire cela. Deux filles de Dublin (« Meilleures amies depuis toujours », gloussèrent-elles en chœur), un mec dégingandé et maladroit, originaire de Colombie britannique (mais *pas* de Victoria, s'empressa-t-il de préciser, comme si cela revenait à admettre qu'il était de Bagdad), le magnifique couple qui se révéla être de vrais Romains de Rome qui avaient pris la bien mauvaise décision de partager leur lune de miel avec nous, et deux femmes d'âge mûr de Melbourne qui me semblaient aussi faites pour un voyage routard chaotique que ma grand-mère Rose.

La bonne nouvelle, c'était que j'allais avoir une chambre pour moi toute seule pendant toute la durée du voyage, étant donné que le Canadien complexé était un homme, que les guides avaient toujours leur propre chambre et que tous les autres étaient par deux. Parfait, pensai-je en ouvrant la porte de ma chambre et en essayant de ne pas penser au fait d'avoir à dormir sur le morceau de mousse recouvert de toile dans un coin, qui était censé être un lit.

---

9. **poor** (adj.) = *pauvre* mais aussi *mauvais, médiocre* (comme ici).

10. **to suit** [suːt] = *aller à, convenir à, adapter* ; ex. : **blue suits her** = *le bleu lui va bien*.

11. **rough** (adj.) = *rude, grossier, à la dure* ; **to tumble** = *faire une chute, faire la culbute* ; **rough-and-tumble** (subs.) = *bousculade, mêlée* (ex. : **the rough-and-tumble world of TV** = *la jungle de la télévision*).

12. **news** (subs. sing.) = *nouvelles, informations* ; **news** est un nom indénombrable, toujours singulier (ex. : **the news is good** = *les nouvelles sont bonnes*) ; le singulier (*une information*) se traduit par **a piece of news**.

13. **to loath** = *détester, avoir horreur de* ; **self-loathing** (adj.) = *qui se déteste lui-même*.

14. **to pair up** = *s'associer, se mettre par deux*.

15. **cloth-covered** = **covered with cloth** = *couvert d'une toile* ; **to cover (with, in)** = *(re)couvrir (de)* ; **cloth** (subs.) = *étoffe, toile* ; **clothes** (subs. pl.) = *vêtements, habits*.

This is going to be just fine. My positive attitude lasted[1] precisely six minutes: just the amount[2] of time it took to strip off the nasty[3] clothes I'd been wearing for the past forty-eight hours, put on my flip-flops[4], and brave the darkened[5] cave[6] that sort of[7] resembled a bathroom (broken tile[8] floor, identifiable toilet, something that might be a showerhead stuck[9] in the ceiling) and turn on what I guessed to be a faucet. Water flowed from the sink but not the overhead appliance[10]. It sure as hell[11] isn't a fire sprinkler[12], I thought, wrapping one of the short, itchy towels around myself and heading down[13] the hall toward Claire's room. She followed me back to my cave – after commenting without any apparent sarcasm on how luxurious the rooms were here compared to other stops on our itinerary – and wrestled[14] with the knob[15] for a bit.

'There!' she cried out with obvious satisfaction when a rust-colored liquid began to trickling[16] out from the ceiling. 'Enjoy the shower, Katie. I'll see you tomorrow, bright and early[17] for our first day on the road!' And she was gone before I could tackle[18] her.

---

1. **to last** = *durer*; ex. : **their friendship won't last long** = *leur amitié ne durera pas longtemps*.

2. **amount** (subs.) = *somme, montant, total, quantité*.

3. **nasty** (adj.) = *désagréable, mauvais, vilain, méchant, atroce*.

4. **flip-flop** = *tong* (« flip-flop » évoque le bruit que l'on fait en marchant avec des tongs) mais aussi *saut périlleux, volte-face*.

5. **to darken** = *(s')assombrir, (se) foncer*; **dark** (adj.) = *sombre, obscur*.

6. **cave** = *caverne, grotte*; **cave art** = *art rupestre*; **cave** (*immeuble, maison*) = **cellar**.

7. **sort of** (employé comme un adverbe) = *plutôt, un peu, d'une certaine façon*.

8. **tile** (subs.) = *tuile* (*toit* = **roof**), *carreau* (*sol* = **ground, floor**).

9. **to stick** (**stuck, stuck**) = *piquer, enfoncer, planter, fixer*.

10. **appliance** = *appareil, engin*; **to apply** = *appliquer, actionner*, mais aussi *faire une demande poser une candidature*.

Ça va être parfait. Ma positive attitude a duré exactement six minutes : juste le temps qu'il m'a fallu pour enlever les vêtements dégoûtants que je portais depuis quarante-huit heures, mettre mes tongs et affronter la caverne sombre qui ressemblait vaguement à une salle de bains (sol carrelé cassé, toilettes identifiables, un truc qui pourrait être une pomme de douche fixé au plafond) et ouvrir ce que j'ai deviné être le robinet. De l'eau coula du lavabo mais pas du machin au-dessus de ma tête. Ce n'est pourtant pas un sprinkler, pensai-je, en enroulant une des minuscules serviettes râpeuses autour de moi et en prenant le couloir jusqu'à la chambre de Claire. Elle me suivit jusqu'à ma caverne – après avoir commenté sans le moindre sarcasme apparent le luxe des chambres de cet hôtel comparé à certains autres arrêts sur notre itinéraire – et lutta avec le bouton pendant un moment.

— Et voilà !, cria-t-elle avec une évidente satisfaction quand un liquide couleur rouille commença à couler du plafond. Profite bien de ta douche, Katie. On se voit demain de bonne heure et de bonne humeur, pour notre premier jour sur la route ! Et elle disparut avant que j'aie pu lui dire deux mots.

---

11. **sure as hell** = (litt.) *diablement sûr* ; **hell** = *enfer*.

12. Un **sprinkler** est une *tête d'extincteur automatique à eau*. Le plus souvent ces extincteurs sont installés dans le plafond des endroits à protéger et réagissent de façon automatique lorsque la chaleur devient trop importante. **to sprinkle** = *saupoudrer, arroser légèrement* ; **sprinkler** = *arroseur (jardin), pommeau (de douche), aspersoir (religion)*.

13. **to head** = *conduire, mener, diriger, aller*.

14. **to wrestle** = *lutter* ; **wrestling** = *lutte, catch*. NB : le **w** et **t** ne se prononcent pas ['reslɪŋ].

15. **knob** (subs.) [nɒb] = *pommeau (canne), bouton, poignée (tiroir...), bosse, protubérance*. NB : le **k** ne se prononce pas.

16. **to trickle** = *couler (goutte à goutte), dégouliner*.

17. **bright and early** = *de bonne heure* ; **bright** (adj.) = *brillant, éclatant* ; **early** (adj.) = *matinal*.

As though the ice-cold water wasn't insulting enough after a two-day[1] flight, it trickled so lightly that it was nearly impossible to wash the shampoo out of[2] my hair. I struggled for a few more blue-lipped minutes[3] before bagging the whole thing and collapsing[4] on my foam. Alone. I would have killed for Matt's snoring, kicking body[5] next to me and even could have overlooked[6] his cover stealing, but there weren't any covers to share. It didn't matter[7] much, though, because before I could start to feel too sorry[8] for myself, there was incessant knocking at my door.

'Rise and shine!'[9] Claire called through the paper-thin[10] wood. 'Everyone's already at breakfast and we're leaving in twenty minutes!'

I grunted something and she went away. I didn't remember sleeping for a single second, but there was a bit of light coming in from the airshaft and my soapy hair had dried into a hardened, dread-locked tangle[11]. My watch read[12] six o'clock, but it was impossible to tell if that was a.m. or p.m.[13], and it didn't much matter considering there was an eleven-hour time difference that I hadn't yet accounted for.

---

1. **a two-day flight** = *un vol de deux jours*; notez l'adjectif composé **two-day** dont tous les mots sont invariables (**day** ne prend pas de **s**); ex. : **a four-letter word** = *un mot de quatre lettres*.

2. **out of** (prép.) = *hors de, en dehors de*; **out of danger** = *hors de danger*.

3. **some blue-lipped minutes** = (litt.) *des minutes de lèvres bleues*; notez l'adjectif composé **blue-lipped** se terminant par **–ed** (faux participe passé); ex. : **a blue-eyed girl** = *une fille aux yeux bleus*, **a middle-aged woman** = *une femme d'âge mûr*, **a bad-tempered man** = *un homme qui a mauvais caractère*.

4. **to collapse** = *s'écrouler, s'effondrer*.

5. **Matt's snoring, kicking body** = (litt.) *le corps ronflant et donnant des coups de pied de Matt*; **to snore** = *ronfler*; **to kick** = *donner un coup de pied*.

6. **to overlook** = *avoir vue sur, donner sur, négliger*.

7. **to matter** = *être important, importer*; **it doesn't matter** = *cela n'a pas importance*.

Comme si l'eau glacée n'était pas suffisamment insultante après un vol de deux jours, son débit était si faible qu'il était presque impossible de rincer le shampooing de mes cheveux. Je me suis battue quelques minutes supplémentaires, les lèvres bleues, avant d'emballer le tout dans une serviette et de m'écrouler sur ma mousse. Seule. J'aurais tué pour avoir le corps de Matt près de moi, ronflements et coups de pied compris, j'aurais même été capable d'ignorer sa manie de prendre toute la couverture, mais il n'y avait pas de couverture à partager. Ce n'était pas très grave, parce que avant que j'aie pu commencer à m'apitoyer sur mon sort, quelqu'un a commencé à tambouriner à ma porte.

— Debout !, dit Claire à travers la porte, fine comme une feuille de papier. Tout le monde est déjà au petit-déjeuner, on part dans vingt minutes !

J'ai grogné quelque chose et elle est partie. Je ne me souvenais pas avoir dormi une seule seconde, mais un rai de lumière filtrait par le conduit d'aération et mes cheveux pleins de savon avaient séché et s'étaient transformés en un paquet de dreadlocks durci. Ma montre indiquait six heures mais il m'était impossible de dire si c'était du matin ou du soir, et ça n'avait pas grande importance étant donné qu'il y avait onze heures de décalage horaire que je n'avais pas encore prises en compte.

---

8. **sorry** (adj.) = *fâché, désolé, chagriné*.

9. **rise and shine !** = *debout !* ; **to rise** = *se lever* ; **to shine** (**shone, shone**) = *briller*.

10. **paper-thin** (adj.) = *fin comme du papier* ; nouvel adjectif composé. Le deuxième élément (**thin**) est toujours sémantiquement le plus important ; ici, le premier élément (**paper**) est un nom avec idée de comparaison ; ex. : **a lemon-yellow dress** = *une robe jaune citron*.

11. **tangle** (subs.) = *fouillis, enchevêtrement*.

12. **to read** (**read, read**) = *lire, indiquer*.

13. **a.m.** = (du latin) **ante meridiem** = *avant midi, du matin* ; **p.m.** = (du latin) **post meridiem** = *après midi, de l'après-midi, du soir*.

I threw on[1] my most comfortable pair of shorts and a ratty[2] old T-shirt, pushing all the cute sundresses to the bottom[3] of my brand new[4] backpack. No need to impress anyone here, I thought, as I dragged[5] everything to the lobby. The group was inhaling[6] milky tea and slurping at[7] some sort of noodle dish, and no one seemed the least bit concerned that there was no coffee or bagels[8] anywhere in sight[9]. No one seemed distraught[10] that it was still mostly dark outside, and all were talking and laughing animatedly, as though they'd known each other for ever.

This is why you don't go anywhere alone, I thought, as I munched on[11] a Snickers I'd bought in the Dubai airport. Matt was right, my parents were right: I obviously wasn't cut out[12] for this. Everyone else finished up breakfast and piled[13] into the minibus that was taking us on a day trip to Halong Bay[14], a World Heritage Site[15] a couple hours outside of Hanoi that was supposed to be a stunning stretch[16] of water interspersed[17] with mini islands. I immediately whipped out[18] my iPod to have something to do while they all talked to their seatmates[19], but Stephen, the Canadian, started asking lots of questions.

---

1. **to throw** = *jeter, lancer*; **to throw on** = *jeter sur soi, mettre rapidement (vêtements)*; **to put on** = *mettre (vêtements, maquillage)*.

2. **ratty** (am. adj.) = **shabby** = *miteux (vêtement, bâtiment)*; **ratty** (br. adj.) = *grognon, irritable, grincheux*.

3. **bottom** (subs.) = *bas, fond, arrière-train, dérrière*; **top** = *haut, sommet, cime, faîte*.

4. **brand new** (adj.) = *tout neuf, flambant neuf*.

5. **to drag** = *traîner, tirer (de force)*.

6. **to inhale** = *inhaler, humer, respirer*.

7. **to slurp** = *faire du bruit en mangeant*.

8. **bagel** = petit pain en forme d'anneau, à la texture très ferme, fait d'une pâte au levain naturel plongée brièvement dans l'eau bouillante avant d'être passée au four. C'est le pain traditionnel de la communauté juive ashkénaze.

9. **in sight** = *en vue*; **to see** (**saw, seen**) = *voir*.

10. **distraught** (adj.) = *extrêmement agité, au bord de l'hystérie*; **distraught with grief** = *fou de chagrin*.

J'ai enfilé mon short le plus confortable et un vieux tee-shirt miteux, et j'ai poussé mes jolies robes d'été tout au fond de mon sac à dos flambant neuf. Pas besoin d'impressionner qui que ce soit ici, pensai-je tandis que je traînais tout ça jusqu'au hall. Le groupe était en train de humer un thé au lait et d'avaler bruyamment une espèce de plat de nouilles ; et personne n'avait l'air le moins du monde perturbé par l'absence de café et de bagels. Personne ne semblait mort d'angoisse par le fait qu'il fasse encore noir dehors, et tout le monde parlait et riait avec animation, comme s'ils se connaissaient depuis toujours.

C'est pour ça que tu ne vas nulle part toute seule, pensai-je, tandis que je mâchonnais un Snickers que j'avais acheté à l'aéroport de Dubaï. Matt avait raison, mes parents aussi : je n'étais manifestement pas taillée pour ce genre d'aventure. Tous les autres finirent leur petit-déjeuner et montèrent dans le minibus qui allait nous emmener pour une excursion d'une journée à la baie d'Halong, un site classé situé à environ deux heures de Hanoi et qui était censé être une éblouissante étendue d'eau parsemée de petites îles. J'ai tout de suite sorti mon iPod pour avoir quelque chose à faire pendant qu'ils parlaient tous à leurs voisins, mais Stephen, le Canadien, a commencé à me poser des tas de questions.

---

11. **to munch on** = **to munch at** = *mastiquer*.

12. **to cut** (cut, cut) = *couper* ; **to cut out** = *découper, tailler*.

13. **to pile** = (*s'*)*entasser*, (*s'*)*amonceler*.

14. **Halong Bay** : la *baie d'Halong* est une étendue d'eau située au nord du Vietnam connue pour ses îles karstiques et classée au patrimoine mondial depuis 1994. C'est une des principales attractions touristiques du Vietnam.

15. **World Heritage Site** = *site classé au patrimoine mondial de l'humanité* (programme de l'UNESCO dont le but est de cataloguer, nommer, et conserver les sites dits *culturels* ou *naturels* d'importance pour l'héritage commun de l'humanité).

16. **stretch** (subs.) = *élasticité, étendue* ; **at one stretch** = *d'affilée*.

17. **to intersperse** (**with**) = *parsemer* (*de*).

18. **to whip** = *fouetter, battre* ; **to whip out** = *sortir rapidement*.

19 **seatmate** (subs.) = *compagnon/voisin de siège* ; voir page 27, note 2.

'So, what brings you to Vietnam?' he asked, plopping down[1] in the little seat across from me[2].

'Oh, I don't know. Just needed a break, I guess. What about you?'

'Same. Just broke up[3] with my girlfriend, which was kind of tough. Thought I was going to marry her, and then she was just... gone. Of course, it's not like I hadn't seen it coming for ages[4] – not like it wasn't the best thing for both of us anyway – but I guess[5] I was just surprised when she actually did it. Kind of[6] a shock, you know?' He twisted[7] his hands and sort of stared out the window[8].

'I'm sorry.' What was I supposed to say to a perfect stranger revealing the most intimate details of his life?

'Yeah, well, it happens. Nothing better than a solo adventure to get you back on track[9], right?' He smiled kindly and I decided that he wasn't quite as terrible as my initial assessment suggested[10].

'Sure[11]. I'm having some trouble with my boyfriend now, too. Thought it might be good to get away for a few weeks and do some thinking[12].'

---

1. **to plop down** = *tomber en faisant flac ou plouf.*

2. **the seat across from me** = (litt.) *le siège de l'autre côté de moi,* c'est-à-dire *le siège à côté de moi mais de l'autre côté de l'allée centrale du minibus* ; **across** (prép.) = *en travers de, de l'autre côté de, en face de.*

3. **to break (broke, broken)** = *casser, briser* ; **to break up** = *mettre en morceaux, se terminer, rompre* (relation amoureuse).

4. **for ages** = *très longtemps* ; **age** (subs.) = *âge, vieillesse, époque, siècle, ère.*

5. **to guess** = *deviner, estimer.*

6. **kind** (subs.) = *genre, espèce, sorte* ; ex. : **what kind of tree is this ?** = *quel genre d'arbre est-ce ?*

7. **to twist** = *(se) tordre, (se) tortiller.*

8. **he sort of stared out of the window** = (litt.) *il fixa en quelque sorte son regard à l'extérieur de la fenêtre.*

— Alors, qu'est-ce qui t'amène au Vietnam ?, me demanda-t-il, en se laissant tomber dans le petit siège à côté de moi.

— Oh, je sais pas. J'avais seulement besoin de changer d'air, je crois. Et toi ?

— Pareil. Je viens de rompre avec ma petite amie, et c'est assez dur. Je pensais qu'on allait se marier, et puis boum… elle est partie. Évidemment, ce n'est pas comme si je ne l'avais pas vu venir de loin – pas comme si ce n'était pas la meilleure chose à faire pour nous deux, de toute façon – mais je crois que j'ai juste été surpris quand elle l'a fait pour de vrai. Ça m'a quand même fait un choc, tu vois ? Il se tordit les mains, tourna la tête et fit mine de s'absorber dans la contemplation du paysage.

— Je suis désolée. Qu'étais-je censée dire à un parfait étranger qui me dévoilait les détails les plus intimes de sa vie ?

— Ouais, bon, c'est la vie. Rien de mieux qu'une aventure en solo pour se remettre sur les rails, pas vrai ? Il sourit gentiment et je décidai qu'il n'était pas aussi nul que je l'avais d'abord pensé.

— C'est clair. Moi aussi j'ai des problèmes avec mon petit ami en ce moment. J'ai pensé que ce serait une bonne idée de prendre mes distances quelques semaines pour faire le point.

---

9. **track** (subs.) = *trace, piste, voie (de chemin de fer)* ; **to track** = *pister, traquer.*

10. **he wasn't quite as terrible as my initial assessment suggested** = (litt.) *il n'était pas tout à fait aussi nul que mon évaluation initiale me l'avait suggéré.*

11. **sure** (adj.) = *sûr, certain* ; **sure** (adv.) = *vraiment* ; **for sure !** = *sure !* = *bien sûr !, mais oui !*

12. **thinking** (subs.) = *pensée, réflexion* ; **to do some thinking** = *réfléchir un peu* ; en anglais, la forme en **–ing** peut être utilisée pour créer des noms verbaux, traduits en français par un nom ou un infinitif, ex. : **travelling is expensive** = *voyager est cher*, **I am fond of swimming** = *j'aime la natation.*

79

I was shocked to hear the words leave my mouth, since I hadn't acknowledged[1] any of that to myself so far[2], never mind[3] to someone I'd met five minutes earlier, but Stephen didn't seem at all[4] surprised and looked ready to hear more. I blurted[5], 'Cos, you know, no one thought I could come here on my own and I thought it was really important.'

That wasn't all true. Isabelle had thought it was a fantastic idea, and was just upset[6] that she couldn't get the time off work to join me. She shrieked[7] when I told her I'd impulsively signed up[8] for the trip online, but I knew that she'd never really liked Matt and would be thrilled[9] to hear I'd be taking a break, however[10] short.

'Well, I don't know you at all and I hope this doesn't sound patronizing[11], but I think it's really cool for you to do this. My girlfriend sure wouldn't have done it. She can't function outside her little world of family and friends in our small town.'

We chatted[12] the rest of the way to Halong Bay, and by the time[13] we arrived, we'd made fun[14] of every single[15] person of the trip.

---

1. **to acknowledge** = *reconnaître, être reconnaissant, mentionner.*

2. **so far** = *jusqu'à maintenant* ; **so far so good** = *jusqu'ici tout va bien.*

3. **to mind sb/sth** = *faire attention à qqch/qqn, s'occuper de qqch/qqn* ; **never mind !** = *ça ne fait rien !, tant pis !*

4. **at all** = *du tout.*

5. **to blurt** = *lâcher étourdiment, laisser échapper, dire sans réfléchir.*

6. **upset** (adj.) = *bouleversé, contrarié, ennuyé, blessé.*

7. **to shriek** = *hurler, pousser un cri aigu, perçant* ; à ne pas confondre avec **to shrink** (**shrank, shrunk**) = *rétrécir, rapetisser.*

8. **to sign up** = *s'inscrire, s'engager.*

9. **to thrill** = *exalter, faire frémir, faire frissonner* ; ex. : **she is thrilled with her new car** = *elle est ravie de sa nouvelle voiture.*

Je n'en revenais pas d'entendre ces mots sortir franchir mes lèvres, d'autant que jusqu'à cet instant, je ne m'étais avouée aucune de ces choses à moi-même, alors à quelqu'un que j'avais rencontré à peine cinq minutes plus tôt !, mais Stephen ne sembla pas surpris du tout et avait l'air disposé à entendre la suite. J'ai lâché :

— Parce que, tu vois, personne ne croyait que je pourrais venir ici toute seule et moi je pensais que c'était vraiment important.

Ce n'était pas totalement vrai. Isabelle avait trouvé que c'était une super idée et avait seulement été très déçue de ne pas pouvoir prendre de congés pour venir avec moi. Elle avait hurlé quand je lui avais dit que j'avais acheté un voyage sur Internet sur un coup de tête, mais je savais qu'elle n'avait jamais beaucoup aimé Matt et qu'elle serait folle de joie d'apprendre que je prenais du recul, même pas longtemps.

— Bien, je ne te connais pas du tout et je ne veux pas avoir l'air condescendant, mais je pense que c'est vraiment super pour toi de faire ça. Ma petite amie ne l'aurait jamais fait, c'est sûr. Elle est incapable de s'en sortir en-dehors de son petit monde, sa famille, ses amis, dans notre petite ville.

Nous avons discuté pendant le reste de la route pour la baie d'Halong, et le temps qu'on arrive, on s'était moqué de chaque membre du groupe.

---

10. **however** (adv.) = *cependant, pourtant.*

11. **patronizing** (adj.) = *condescendant.*

12. **to chat** = *causer, bavarder* (passé en français : *chatter* sur le web = néologisme signifiant « discuter en direct sur Internet »).

13. **by the time** (**that**) = *quand, le temps* (*que*).

14. **to make fun of** = *se moquer de, rire de.*

15. **single** (adj.) = *seul, à une place* ; ex. : **don't say a single word** = *ne dites pas un (seul) mot.*

When it came time to pair off for the paddleboats we'd be using[1] to explore the Bay, Stephen looked furtively around at everyone else, and then glanced at[2] me and mouthed[3], 'Save me.' I laughed and joined him in the boat, where we spent[4] the rest of the afternoon trying to ditch[5] the group and paddle well enough to move somewhere, anywhere, which wasn't easy. By the time we returned to the meeting place – Stephen and I had come back almost an hour late – the rest of the group was on[6] the bus and most people were passed out[7]. It was late afternoon, and the ride[8] back to Hanoi was peaceful as I watched mile after mile of rice paddies go by[9]. This isn't so bad, I thought, spying[10] a family cook its supper over an open-air fire on the side of the road. This just isn't so bad.

Naturally, my feel-good[11] attitude changed the second we hit Hanoi and the throngs[12] of people descended upon[13] us as we looked for a restaurant that served bottled[14] water. The Italians hadn't yet stopped making out[16] long enough to contribute to the conversation, and the two middle-aged Australian women looked so exhausted and miserable that they almost made me feel better about my own jet lag and the pain shooting through my arms and shoulders from the paddling[16].

---

1. **we'd be using** = **we would be using** = *que nous allions utiliser*.

2. **to glance at** = *jeter un coup d'œil sur, lancer un regard à* ; **glance** (subs.) = **quick look** = *regard, coup d'œil*.

3. **mouth** (subs.) = *bouche, gueule (animal)* ; **to mouth** = *dire en remuant les lèvres silencieusement*.

4. **to spend** (**spent, spent**) = *dépenser, passer (du temps), consacrer*.

5. **to ditch** = *jeter, se débarrasser, plaquer (petit ami)*.

6. **on the bus** = *dans le bus* ; on utilise la préposition **on** avec les moyens de transport, ex. : **on the train, on the plane**.

7. **to pass out** = *s'évanouir*.

8. **ride** (subs.) = *tour, voyage* ; **to ride** (**rode, ridden**) = *faire du cheval, de la bicyclette, de la moto, rouler en voiture*.

Quand vint le moment de se mettre par deux pour prendre les canoës qu'on allait utiliser pour explorer la baie, Stephen a furtivement regardé toutes les personnes autour de lui, puis m'a lancé un coup d'œil et a formé les mots « Sauve-moi » avec ses lèvres. J'ai ri et l'ai rejoint sur le bateau, où nous avons passé le reste de l'après-midi à essayer de semer le groupe et de pagayer suffisamment bien pour nous diriger quelque part, n'importe où, ce qui n'était pas facile. Le temps qu'on revienne au point de rendez-vous – Stephen et moi étions arrivés avec presque une heure de retard – le reste du groupe était dans le bus et la plupart s'étaient endormis. C'était la fin de l'après-midi et le trajet de retour à Hanoi a été paisible tandis que je regardais les rizières défiler kilomètre après kilomètre. Ce n'est pas si mal, pensai-je, en observant une famille préparer son dîner au-dessus d'un brasero en plein air, sur le bord de la route. Vraiment, ce n'est pas si mal.

Naturellement mon sentiment de bien-être a disparu à la seconde où nous sommes arrivés à Hanoi et où une multitude de gens nous sont tombés dessus pendant que nous cherchions un restaurant qui servait de l'eau en bouteille. Les Italiens n'avaient pas encore arrêté de s'embrasser suffisamment longtemps pour participer à la conversation et les deux Australiennes d'âge mûr semblaient tellement épuisées et dans un sale état qu'elles m'aidaient presque à mieux supporter les effets du décalage horaire et la douleur qui pulsait dans mes bras et mes épaules à cause du canoë.

---

9. **to go by** = *passer, s'écouler, suivre, respecter.*

10. **to spy** = *espionner, épier, apercevoir.*

11. **to feel good** (**felt, felt**) = *se sentir bien* ; **feel-good** (adj.) = *de bien-être.*

12. **throng** (subs.) = *foule, multitude.*

13. **upon** (prép.) = **on** = *sur.*

14. **to bottle** = *mettre en bouteille, mettre en bocal (confiture…)* ; **bottled** = *en bouteille, en bocal* ; **bottled water** = *eau en bouteille, eau minérale.*

15. **to make** (**made, made**) = *faire, fabriquer* ; **to make out** (am., argot) = *se peloter, faire l'amour.*

16. **to paddle** = *pagayer* ; **paddling** (subs.) = *le fait de pagayer.*

The heat had seemed to surge[1] after sunset[2] instead of wane[3], and the humidity had increased tenfold[4]. All I wanted was a burger or a Caesar salad[5] and a Diet Coke, but I'd been overruled[6] in the voting process: the group had decided on a vegan[7] noodle place and Claire was back to her hideously chipper and upbeat self[8]. I tuned her out[9] as she explained our itinerary for the coming days and began to dream about the hot showers and comfortable beds that did not await me. I'd had nothing but some bread and tea and a few Snickers since I'd arrived the day before, and wasn't quite sure how long I could last. But just as I was mentally preparing to survive night number two, Stephen announced to the table that he and I were going to have a cigarette.

'So I have a proposal[10],' he announced with a mischievous[11] look as he lit[12] our Camel Lights. 'Now, don't take this the wrong way – I'm not suggesting anything by it – but I thought we might check into[13] a decent hotel, just for tonight.'

'What? What do you mean?' Had I given[14] him the wrong idea? He was funny and sweet[15] and I was ecstatic[16] to have a friend, but I had not one inkling[17] of romantic feelings for him.

---

1. **to surge** = *se soulever, monter d'un seul coup.*

2. **sunset** (subs.) = *coucher du soleil* ; **sunrise** (subs.) = *lever du soleil.*

3. **to wane** = *décroître, décliner.*

4. **tenfold** = (adj.) *décuple*, (adv.) *au décuple* ; de **ten** = *dix* et **–fold** = suffixe signifiant *fois.*

5. **Caesar salad** = *salade César* = salade traditionnelle très populaire aux États-Unis et au Canada, composée de laitue romaine, croûtons à l'ail, jus de citron, huile d'olive, parmesan, œufs crus ou mollets, sel, poivre et sauce Worcestershire.

6. **to overrule** = *rejeter, annuler.*

7. **vegan** (adj.) = *végétalien* ; **vegetarian** (subs.) = **veggie** = *végétarien.*

8. **her hideously chipper and upbeat self** = (litt.) *sa personnalité affreusement gaie et optimiste.*

9. **to tune** = *accorder* (*instrument de musique*), *régler la radio sur une station* ; **tune** (subs.) = *air, mélodie.*

La chaleur semblait avoir augmenté après le coucher du soleil au lieu d'avoir diminué et l'humidité avait décuplé. Tout ce que je voulais, c'était un hamburger ou une salade César et un Coca light, mais j'ai perdu au vote : le groupe s'était décidé pour un restaurant de nouilles végétalien et Claire avait retrouvé sa gaieté et son optimisme crasses. J'ai coupé le son pendant qu'elle nous expliquait l'itinéraire des jours suivants et commencé à rêver aux douches chaudes et aux lits douillets qui ne m'attendaient pas. Je n'avais rien mangé à part du pain, du thé et quelques Snickers, depuis notre arrivée la veille, et je ne savais pas combien de temps je pourrais tenir. Mais juste comme je me préparais mentalement pour survivre à la deuxième nuit, Stephen a annoncé à tout le monde que lui et moi allions fumer une cigarette.

— Voilà, j'ai une proposition, m'annonça-t-il avec un air malicieux en allumant nos Camel light. Maintenant, ne va pas te faire des idées – ce n'est pas une proposition malhonnête – mais j'ai pensé qu'on pourrait prendre une chambre dans un hôtel décent, juste pour cette nuit.

— Quoi ? Qu'est-ce que tu veux dire ? Lui avais-je donné de fausses idées ? Il était amusant et gentil et j'étais vraiment ravie d'avoir un ami, mais je n'avais pas l'once d'un sentiment amoureux pour lui.

---

10. **proposal** (subs.) = *proposition, offre, demande en mariage*.

11. **mischievous** (adj.) ['mɪstʃɪvəs] = *espiègle, malicieux, coquin* ; **as mischievous as a monkey** = *malin comme un singe*.

12. **to light** (**lit, lit**) = *allumer, éclairer*.

13. **to check into** = **to check in** = *s'enregistrer, faire une réservation, descendre (dans un hôtel)*.

14. **to give** (**gave, given**) = *donner*.

15. **sweet** (adj.) = *doux, agréable, gentil*.

16. **ecstatic** (adj.) = *extatique, fou de joie* ; cet adjectif est beaucoup plus employé en anglais que ne l'est son équivalent en français ; son sens est en général atténué et peut être rendu par *ravi*.

17. **inkling** (subs.) = *intuition, pressentiment* ; **to have no inkling** = *ne pas avoir la moindre idée, ne pas soupçonner le moins du monde*.

And besides[1], I lived with my boyfriend. This just wasn't appropriate[2].

'No, no, nothing like that,' he assured me, reading my mind. 'It's just that it took three fucking days of flying for me to get here and I haven't slept more than three hours straight[3] since I left, and I haven't had anything resembling a decent shower or a meal[4], either. I just figured[5] it might be a good idea to get a nice room in a quality hotel, take as many hot showers as possible, get a good, real Western[6] meal, and sleep for twelve hours. I think of it as an investment, you know? We spent serious coin[7] on this trip, and if we're going to be so rundown[8] and miserable from the very beginning, we're never going to enjoy it. Separate beds. Just friends. What do you think?'

Visions of carpeting[9] and air-conditioning and possibly even a nice vodka tonic danced in my head. 'I think that sounds[10] fantastic. What do we tell them?'

He smiled. 'I'll handle[11] it. Wait here.'

He returned within[12] minutes and gleefully[13] announced, 'Told them that you were deathly ill and that I was taking you back to the Viet-Tang.

---

1. **besides** (adv.) = *de plus, en outre*.

2. **appropriate** (adj.) = *approprié, convenable, de circonstance, opportun*.

3. **straight** (adv.) = *directement, honnêtement*.

4. **anything resembling a decent shower or a meal** = (litt.) *quoi que ce soit ressemblant à une douche ou un repas décent*. NB : **to resemble sth/sd** = *ressembler à qqn, qqch*.

5. **to figure** = (am.) *estimer, penser* ; **figure** (subs.) = *chiffre*.

6. **Western** (adj.) = *ouest, de l'Ouest, occidental* ; **Eastern** = *est, de l'Est, oriental*. NB : les adjectifs de nationalité (**French, American**...) prennent toujours une majuscule en anglais.

7. **coin** (subs.) = *pièce de monnaie, monnaie*.

Et par ailleurs, je vivais avec mon petit ami. Ce n'était tout simplement pas convenable.

— Non, non, rien de ce genre, m'a-t-il assuré comme s'il lisait dans mes pensées. C'est seulement que ça m'a pris trois putain de jours pour arriver ici, que je n'ai pas dormi plus de trois heures d'affilée depuis mon départ, ni pris une douche ou un repas à peu près décent. J'ai juste pensé que ça pourrait être une bonne idée de se payer une belle chambre dans un hôtel de standing, prendre le plus de douches chaudes possible, se faire un vrai bon repas occidental et dormir pendant douze heures. Je vois ça comme un investissement, tu comprends ? Nous avons dépensé un paquet de fric pour ce voyage, et si on est totalement à plat et crevés dès le début, on ne va jamais en profiter. Lits jumeaux. Juste amis. Qu'est-ce que tu en penses ?

Des images de moquette moelleuse et d'air conditionné et même éventuellement d'une belle vodka tonic se mirent à danser dans ma tête.

— Je crois que ça a l'air fantastique. Qu'est-ce qu'on leur dit ?

Il sourit.

— Je m'en charge. Attends-moi.

Il revint quelques minutes plus tard et annonça allègrement :

— Je leur ai dit que tu étais malade comme un chien et que je te ramenais au Viet-Tang.

---

8. **rundown** (adj.) = *à plat, délabré, fatigué* ; **to run down** (**ran**, **run**) = *s'arrêter, se décharger* (*montre, pile*) mais aussi *descendre en courant*.

9. **carpet** (subs.) = *tapis, moquette* ; **to carpet** = *recouvrir d'un tapis, d'une moquette*.

10. **to sound** = *sonner, résonner, paraître, sembler*.

11. **to handle** = *tâter, toucher, manier, manipuler, prendre en main, s'occuper de*.

12. **within** (prép.) = *à l'intérieur de, en moins de*.

13. **gleefully** (adv.) = *allègrement, joyeusement* ; **glee** (subs.) = **delight** = *joie, allégresse, jubilation*.

We don't need to be at breakfast until eight tomorrow, so if we go now, we can sneak[1] back there at 7:30 a.m. and no one will ever[2] know we're gone. I checked the guidebook and there's a Marriott a few blocks[3] away. C'mon[4].' And before I knew what was happening, Stephen had negotiated with a cyclo driver and we were on our way[5].

It was blissful[6]. Completely and utterly[7] blissful. For the grand[8] sum of $42 per person, we were quickly ensconced[9] in a highly air-conditioned room with a marble bathroom, two queen-sized[10] beds, TV with CNN, and a balcony overlooking all of Hanoi. We managed to stay awake for another hour and a half – just long enough for each of us to shower without flip-flops, order[11] room service, and have a cocktail and cigarette on the terrace as the city settled in[12] for the night beneath[13] us. As I took my shorts off[14] under the covers and leaned back into the down[15] pillows, I remember thinking that life couldn't get much better than this.

We made it back to the group's ghetto hotel before everyone else was up, except the indefatigable Claire, who eyed us both[16] as we tried to sneak past her in the lobby.

---

1. **to sneak** = *se déplacer furtivement, en cachette*; **to sneak in** = *entrer furtivement, se faufiler*; **to sneak out** = *filer*.

2. **ever** = *jamais* (employé dans les phrases comportant déjà une négation), *déjà, toujours*.

3. **block** (subs. am.) = *pâté de maison*.

4. **c'mon** = **come on !** = *allez !, vas-y !*

5. **we were on our way** = (litt.) *nous étions sur notre chemin*.

6. **blissful** (adj.) = *(bien)heureux*; **bliss** (subs.) = *grand bonheur, béatitude*.

7. **utterly** (adv.) = *complètement, absolument*; **utter** (adj.) = *complet, absolu*.

8. **grand** (adj., de l'ancien Français) = *grandiose, imposant, magnifique*.

On n'a pas besoin d'être au petit déjeuner avant huit heures demain matin, donc si on y va maintenant, on peut revenir en cachette et être de retour à 7h30, et personne ne s'apercevra de notre absence. J'ai vérifié dans le guide et il y a un Marriott pas loin d'ici. On y va.

Et avant que je comprenne ce qui se passait, Stephen avait négocié avec un cyclo-pousse et on était en route.

Ça a été un vrai bonheur. Un bonheur complet et absolu. Pour la somme faramineuse de 42$ par personne, on s'est retrouvé rapidement installé dans une chambre parfaitement climatisée, avec une salle de bains en marbre, deux lits king size, la télévision avec CNN et un balcon surplombant la ville. Nous avons réussi à rester éveillés pendant encore une heure et demie – juste assez longtemps pour prendre chacun notre tour une douche sans nos tongs, passer commande au service d'étage et boire un cocktail, et fumer une cigarette sur la terrasse tandis que la ville s'endormait sous nos pieds. Au moment où j'ai enlevé mon short sous les draps et où j'ai posé ma tête sur les oreillers en plumes, je me souviens avoir pensé que la vie ne pouvait pas être plus belle que ça.

Nous sommes revenus à l'hôtel miteux du groupe avant que quiconque soit levé, excepté l'infatigable Claire, qui nous a regardés d'un œil soupçonneux tandis nous essayions de passer devant elle dans le hall, sans nous faire voir.

---

9. **to ensconce** = *installer à l'intérieur de qqch qui épouse parfaitement la forme du corps*, et donc, par extension, *installer confortablement*.

10. **queen-size bed** (am.) = *grand lit double* (180 × 210 cm) ; **king-size bed** (am.) = *très grand lit double* (198 × 203 cm).

11. **to order** = *commander* (restaurant), mais aussi *ordonner*.

12. **to settle in** = *s'installer, s'établir, s'habituer*.

13. **beneath** = (prép.) *sous*, (adv.) *dessous, au-dessous*.

14. **to take off** = *enlever, retirer, ôter* mais aussi *décoller* (avion).

15. **down** (subs.) = *duvet, plumes*.

16. **both** (adj., pronom) = *les deux, tous les deux*.

'Well, well, aren't you two up early?' she crowed[1] as we hit[2] the stairs to pack up the stuff we'd left in our old rooms. 'Were you both wearing those same clothes last night or is it my imagination?'

'We just took an early morning walk is all,' Stephen shot back[3] without stopping[4]. 'See you in a few minutes.'

'Katie, how are you feeling? Stephen said your diarrhea was pretty terrible!' A few tourists of indeterminate ethnicity eating breakfast in the corner started to laugh.

'Oh, yes, well, uh, I'm feeling much better today. Thanks!'

We both raced[5] upstairs[6] and managed not to break down[7] until we were actually out of earshot[8].

'I feel like I'm fourteen again, sneaking in after curfew[9] and thinking my mother doesn't realize,' I choked[10] through my tears of laughter. 'And did you really have to say it was diarrhea? Great visual.'

I was so well rested[11] and revitalized that I'd forgotten all about Matt's email until now. I'd ducked into the Marriott's business center before we'd left that morning and quickly logged on to my Hotmail account.

---

1. **to crow** = *chanter* (*coq*), mais aussi *se vanter, pavoiser*.
2. **to hit** (hit, hit) = *frapper, atteindre, percuter, taper*.
3. **to shoot back** = *riposter*.
4. **without** (prép.) = *sans*; **without** + -ing = *sans* + infinitif.
5. **to race** = *courir/passer à toute vitesse*; **race** (subs.) = *course*.
6. **upstairs** = (adv.) *en haut, à l'étage*, (adj.) *d'en haut*; **downstairs** = (adv.) *en bas*, (adj.) *du bas*; **stairs** (subs.) = *escalier*.
7. **to break down** (broke, broken) = *abattre, briser, (se) décomposer, s'effondrer*.

— Tiens, tiens, vous ne vous êtes pas levés un peu tôt tous les deux ?, a-t-elle gazouillé comme nous prenions les escaliers pour ranger les affaires que nous avions laissées dans nos anciennes chambres. Vous portiez les mêmes vêtements hier soir, ou je me trompe ?

— On a juste fait une petite balade matinale, c'est tout, répondit Stephen du tac au tac, en poursuivant son chemin. À tout de suite.

— Katie, comment tu te sens ? Stephen a dit que ta diarrhée était plutôt terrible ! Quelques touristes d'origine ethnique indéterminée, qui prenaient leur petit déjeuner dans un coin, se sont mis à rire.

— Ah oui, bon, euh, je me sens beaucoup mieux aujourd'hui. Merci !

Nous nous sommes tous les deux précipités à l'étage et avons réussi à ne pas éclater de rire avant d'être vraiment hors de portée de voix.

— J'ai l'impression d'avoir à nouveau quatorze ans, et de rentrer après le couvre-feu en pensant que ma mère ne s'en rendrait pas compte, dis-je en pleurant de rire. Et est-ce que tu avais vraiment besoin de dire que j'avais la diarrhée ? Belle image.

J'étais tellement reposée et revigorée que je n'avais pas pensé à l'e-mail de Matt jusqu'à maintenant. Le matin, je m'étais glissée dans le centre d'affaires du Marriott avant de quitter l'hôtel et m'étais rapidement connectée à ma messagerie Hotmail.

---

8. **earshot** de **ear** = *oreille* et **shot** = *coup* ; **within earshot** = *à portée de voix*, (litt.) *à portée d'oreille* ; **out of earshot** = *hors de portée de voix*.

9. **curfew** (subs.) = *couvre-feu*.

10. **to choke** = *étouffer, suffoquer* ; **to choke with laughter** = *s'étrangler de rire*.

11. **to rest** = *se reposer, prendre du repos*.

Among the usual junk[1] mail and a few unimportant questions from my assistant at the PR[2] firm where I worked, there was a single email from Matt. I'd printed it and tucked[3] it in my backpack to read when I got a minute alone, and now seemed as good a time as ever[4]. We didn't need to be downstairs for another[5] fifteen minutes, and thanks to Stephen's brilliant idea, I had already showered and eaten a huge American breakfast at the Marriott.

I flopped down[6] on the piece of foam, smashing[7] my tailbone[8] on the cement beneath it, and yanked the printout[9] from my bag. I'd only been gone four days by now, but it was still[10] going to be really nice to hear how much someone missed me.

K,

Did you manage to get upgraded[11] to business class? I'm very much hoping that worked out... it's bad enough to fly to the other side of the earth, but to do it in economy would be unbearable[12]. I went out for dinner last night with Daniel and Stephanie and guess what? They told me they'd gotten engaged[13] the night before. She was sporting[14] quite the rock – I always knew Daniel did better than he let on[15] – but rest assured that yours will one day outshine it by a mile[16].

---

1. **junk** (subs.) = *bric-à-brac, vieilleries, saletés* ; **to junk** = *balancer, mettre à la poubelle.*

2. **PR = Public Relations** = *relations publiques, communication.*

3. **to tuck** = *replier, mettre, ranger, rentrer.*

4. **it seemed as good a time as ever** = (litt.) *cela semblait un moment aussi bien que n'importe quel autre.*

5. **another** (adj.) = *un(e) autre, encore.*

6. **to flop down** = *tomber lourdement, se laisser tomber.*

7. **to smash** = *heurter avec violence, briser, fracasser, écraser.*

8. **tailbone** (subs.) = **coccyx** = *coccyx* ; de **tail** = *queue* et **bone** = *os.*

9. **printout** (subs.) = *impression, sortie (sur papier grâce à une imprimante)* ; **to print** = *imprimer.*

Parmi les habituels SPAM et les quelques questions sans importance de mon assistante dans la boîte de relations publiques où je travaillais, il y avait un seul e-mail de Matt. Je l'avais imprimé et rangé dans mon sac à dos pour le lire quand je serais seule un moment, et *maintenant* me semblait un moment aussi adapté qu'un autre. Nous ne devions pas être en bas avant quinze minutes, et grâce à la brillante idée de Stephen, j'avais déjà pris une douche et avalé un énorme petit déjeuner américain au Marriott.

Je me suis affalée sur mon morceau de mousse, me fracassant au passage le coccyx sur le ciment en-dessous, et j'ai sorti la feuille de mon sac. Je n'étais partie que depuis quatre jours mais cela allait être très agréable d'entendre combien je manquais à quelqu'un.

K,

As-tu réussi à être surclassée et à voyager en business ? J'espère vraiment que ça a marché... C'est déjà suffisamment pénible de voyager aussi longtemps en avion, être en classe économique serait vraiment insupportable. Hier soir, je suis sorti dîner avec Daniel et Stephanie et devine ? Ils m'ont annoncé qu'ils s'étaient fiancés la veille. Elle arborait un caillou énorme – j'ai toujours su que Daniel gagnait plus que ce qu'il disait – mais ne t'inquiète pas, un jour, le tien sera dix fois plus beau.

---

10. **still** (adv.) = *encore* ; **still** (adj.) = *immobile, calme, silencieux*.

11. **to upgrade** = *améliorer, augmenter, mettre à jour (informatique)*.

12. **unbearable** (adj.) [ʌn'bɛərəbl] = *insupportable* ; **to bear** (**bore, borne**) = *porter, supporter*.

13. **to get engaged** = *se fiancer*.

14. **to sport** = *arborer* mais aussi (vieilli) *se divertir*.

15. **to let on** = **to tell** = *dire, faire croire*.

16. **to outshine** (**outshone, outshone**) = *éclipser, surpasser, briller d'un plus grand éclat* ; **a mile** = *1,6 km*.

Work is fine, nothing too interesting the past three days, but please keep your fingers crossed[1] that the new client I'm courting will come on board[2]. It'd be a huge coup[3] right before the yearly reviews, you know? Oh, and your mother called to tell me to say hello to you and that she hopes you're wearing sunblock[4] and please don't hesitate to change your flight and come home if it's actually as bad as it sounds. I agree with her entirely. There's nothing wrong in admitting[5] you've made a mistake, so know that we're all here waiting for you.

XOXO[6], Matt

PS I just realized that you forgot to leave me the cleaning lady's number. Please write at your earliest convenience[7] and let me know[8] where to find it, because I'll need her more frequently now that you're away.

I read it twice[9] more just to make sure I hadn't missed any implied[10] 'I love yous' or 'I miss yous[11]' or anything that would indicate that my absence provoked more in him than simply needing to schedule[12] the maid more often. But nothing. Instinct dictated that crying was in order[13] but, oddly, the tears didn't come.

---

1. **cross** (subs.) = *croix, croisement*; **to cross** = *croiser, traverser, passer, barrer, contrarier*.

2. **on board** = *à bord*; **board** (subs.) = *planche, conseil, commission*.

3. **a huge coup** = *un coup énorme*; **to bring off a coup** = *faire un joli coup*.

4. **sunblock** (subs.) = *écran total* de **sun** = *soleil* et **to block** = *bloquer, obstruer, entraver*.

5. **to admit** = *laisser entrer, admettre*; notez la construction **to be wrong in** +**-ing** = *avoir tort de* + infinitif.

6. À la fin d'une lettre, d'un SMS... : **xxxxx** = **kisses** = *bises, bisous*; **xoxoxo** = **kisses and hugs** = *bises et câlins*; **to hug** = *étreindre, serrer dans ses bras*.

7. **at your earliest convenience** = *dans les meilleurs/plus brefs délais*; **early** (adj.) = *matinal, prochain, précoce*; **convenience** (subs.) = *commodité*; **convenient** (adj.) = *commode, pratique, qui convient*.

Au bureau, tout va bien, pas grand-chose d'intéressant ces trois derniers jours, mais s'il te plaît, croise les doigts pour que le nouveau client que je courtise en ce moment signe avec nous. Ce serait un coup énorme juste avant les bilans de fin d'année, tu vois ? Oh, et ta mère a appelé pour me demander de te dire bonjour et qu'elle espère que tu mets de l'écran total et que surtout tu n'hésites pas à changer ton vol et à rentrer à la maison si c'est aussi horrible que ça en a l'air. Je suis totalement d'accord avec elle. Il n'y a rien de mal à admettre qu'on s'est trompé, alors sache qu'ici tout le monde t'attend.

Bisous, Matt

PS : je viens juste de me rendre compte que tu as oublié de me laisser le numéro de téléphone de la femme de ménage. S'il te plaît, écris-moi dans les meilleurs délais et dis-moi où je peux le trouver, car je vais avoir besoin d'elle plus souvent pendant ton absence.

Je le lus trois fois, juste pour être sûre que je n'avais pas manqué un « Je t'aime » ou un « Tu me manques » sous-entendus, ou toute autre expression qui aurait indiqué que mon absence éveillait en lui plus que le besoin de faire venir la femme de ménage plus souvent. Mais rien. Mon instinct me dictait que j'aurais dû fondre en larmes, mais bizarrement, ça ne venait pas.

---

8. **to let** (**let**, **let**) = *laisser* ; **to let** est utilisé en anglais pour exprimer la permission, ex. : **let me go** = *laissez-moi partir* ; le sens de **to let** s'est affaibli au point de devenir un auxiliaire de l'impératif, ex. : **let me know when you are back** = *prévenez-moi quand vous serez de retour.*

9. **twice** = **two times** = *deux fois.*

10. **to imply** = *sous-entendre, impliquer.*

11. **I love yous** = *des « je t'aime »* ; **I love yous** est un pluriel inventé de **I love you** ; ce type de jeu linguistique est courant entre anglophones.

12. **to schedule** ['ʃedjul] ou ['skedjul] = *programmer, prévoir.*

13. **in order** = *en ordre, en règle, dans les règles* ; **in order to** (prép.) = *pour, afin de.*

I sat[1] on the foam and waited, even watched with interest as a large and somewhat[2] menacing bug[3] worked[4] its way slowly up the wall, but I didn't cry. Instead, I calmly folded[5] the paper, tore[6] it into neat, even[7] pieces and tossed them in the basket on my way out the door.

'Hey, you ready for more group loving?' Stephen asked when we bumped into each other in the hallway, saddled[8] with our tremendous backpacks that didn't seem so heavy after nine hours of sleep. 'Looks like Claire's all revved up for a full day and then an overnight[9] train. I call bottom berth[10], by the way.'

'Fair enough[11],' I said with a not-too-forced smile. 'But I call window on the bus.'

The next week flew by[12]. We covered Hue[13] by bicycle, an historic city with a massive citadel and beautiful pagodas, and then headed south to my favorite city of all, Hoi An[14]. More like a village than anywhere else we'd been, the main drag[15] (which was just a dirt road lined[16] on both sides with ageing huts) was shopping heaven. Every little stand had expert tailors on staff[17], all ready with every imaginable fabric and patterns pulled straight from American and French fashion magazines.

---

1. **to sit** (**sat, sat**) = *s'asseoir*.
2. **somewhat** (adv.) = *un peu, assez, en quelque sorte*.
3. **bug** (subs.) = *punaise, virus, microbe*, (am.) *insecte*.
4. **to work** = *travailler*; **to work one's way** = *avancer petit à petit, avec précaution*.
5. **to fold** = *plier*.
6. **to tear** (**tore, torn**) = *déchirer*.
7. **even** (adj.) = *uni, égal, régulier*; **even** (adv.) = *même*.
8. **to saddle** = *seller* (*cheval*); **to saddle sb with sth** = *charger, encombrer qqn de qqch*.
9. **overnight** (adv.) = (*pendant*) *la nuit*; **to stay overnight** = *passer la nuit*.
10. **the bottom berth** = *la couchette* (*bateau, train*) *du bas*.

Je me suis assise sur le lit et j'ai attendu, j'ai même observé avec intérêt un gros insecte assez effrayant grimper lentement le long du mur, mais je n'ai pas pleuré. Au lieu de ça, j'ai calmement replié le papier, je l'ai déchiré en petits morceaux bien nets et égaux et je l'ai jeté dans la poubelle en sortant.

— Hé, prête pour de nouvelles aventures en groupe ?, m'a demandé Stephen quand on s'est rentré dedans dans le hall, chargés de nos énormes sacs à dos qui ne semblaient plus si lourds après neuf heures de sommeil. On dirait que Claire est totalement emballée à l'idée de passer une journée et une nuit entières dans le train. Je prends la couchette du bas, au fait.

— D'accord, dis-je avec un sourire pas si forcé que ça. Mais je prends la fenêtre dans le bus.

La semaine suivante est passée à toute vitesse. Nous avons parcouru Hué, cité historique connue pour sa citadelle massive et ses belles pagodes, à vélo, puis nous nous sommes dirigés vers le sud jusqu'à ma ville préférée entre toutes, Hoi An. Ressemblant plus à un village que tous les autres endroits où nous sommes passés, la rue principale (qui était un simple chemin de terre bordé de vieilles cabanes des deux côtés) était un paradis du shopping. Chaque petite boutique employait des tailleurs doués qui proposaient toutes sortes de tissus et de modèles tout droit tirés de magazines de mode français et américains.

---

11. **fair** (adj.) = *juste, équitable, bon, blond* ; **fair enough** est une expression utilisée pour accepter une suggestion ou pour signifier que l'on pense que quelque chose est raisonnable.

12. **to fly** (**flew, flown**) = *voler* ; **to fly by** = *passer à toute vitesse, en un clin d'œil* ; **fly** (subs.) = *mouche*.

13. **Hué** est une ville du centre du Vietnam, ancienne capitale impériale (et capitale du pays jusqu'en 1954), connue pour sa citadelle (construite en 1805) et ses tombeaux impériaux.

14. **Hoi An** est une petite ville également située au centre du Vietnam (à 130 km de Hué) ; la vieille ville de Hoi An est inscrite au patrimoine mondial de l'Unesco.

15. **the main drag** (subs. am.) = *la rue principale*.

16. **to line** = *faire des lignes sur, se rider, border*.

17. **staff** (subs.) = *personnel* ; ex. : **office staff** = *personnel de bureau*.

For a few dollars, they'd custom-make[1] suits[2] or dresses, capris[3] or coats and everything would be stitched up[4] and ready to go within twenty-four hours. I ordered an Asian-inspired jacket[5] with pink silk buttons and spent some time choosing the perfect linen[6] for the pants I was having made for Matt. I couldn't remember his exact inseam and thought it'd be a good time for my first call home. When the post office with the international phone line opened at 9 a.m., I calculated that it'd be 8 p.m. his time and he'd just be getting home from work. He picked up[7] after five rings.

'Hello?' he called out[8], sounding very far away, but not because of any connection problem. U2 was playing in the background, and I could hear the clanging[9] of silver to plates.

'Matt? It's me! I'm calling from Vietnam!'

'What. Who's calling? Hey, Barry, turn that down a minute. I can't hear a fucking thing. Hello?'

The music lessened[10] slightly but the noise of the people increased.

'Matt! It's Katie. Can you hear me. How are you? I'm so excited[11] we're actually talking from halfway[12] around the world!'

---

1. **to custom-make** = *fabriquer sur commande, faire sur mesure.*

2. **suit** (subs.) = *ensemble (vêtement), costume (hommes), tailleur (femmes)* ; **to suit** = *aller (bien) à.*

3. **capris** = **capri pants** (nommés ainsi d'après l'île italienne de Capri où ce type de pantalons s'est popularisé dans les années 50 et 60) = *pantacourt, corsaire.*

4. **to stitch (up)** = *(re)coudre, piquer.*

5. **an Asian-inspired jacket** = (litt.) *une veste d'inspiration asiatique.*

6. **linen** (subs.) = *linge, toile, lin .*

Pour quelques dollars, ils taillaient sur mesure costumes d'homme et robes, pantacourts et manteaux, et tout était cousu et prêt à être emporté en vingt-quatre heures. J'ai commandé une veste à col mao avec des boutons en soie rose et passé un certain temps à choisir le tissu parfait pour le pantalon que je voulais faire faire pour Matt. Je n'arrivais pas à me souvenir de sa longueur de jambe et j'ai pensé que ce serait une bonne occasion pour passer mon premier coup de fil à la maison. Quand le bureau de poste où l'on pouvait téléphoner à l'international a ouvert, à neuf heures du matin, j'ai calculé que pour lui il était huit heures du soir et qu'il venait juste de rentrer du travail. Il a décroché au bout de cinq sonneries.

— Allô ?, cria-t-il. J'avais vraiment l'impression qu'il était très loin, mais ce n'était pas dû à un quelconque problème de liaison. J'entendais U2 en fond sonore et le bruit de l'argenterie sur les assiettes.

— Matt ? C'est moi ! J'appelle du Vietnam !

— Quoi ? C'est qui ? Hé, Barry, éteins ça deux minutes. J'entends rien du tout, putain. Allô ?

La musique a baissé légèrement, mais le bruit des conversations s'est intensifié.

— Matt ! C'est Katie. Tu m'entends ? Comment tu vas ? Je suis tellement contente de te parler depuis l'autre côté de la planète !

---

7. **to pick up** = *prendre, ramasser, décrocher (téléphone), passer prendre, aller chercher.*
8. **to call out** = *appeler, pousser des cris, nécessiter absolument.*
9. **to clang** = *faire un bruit métallique, résonner* = **to clank**.
10. **to lessen** = *diminuer, (s')amoindrir, (s')atténuer.*
11. **excited** (adj.) = *énervé, agité, (sur)excité, animé, enthousiaste.*
12. **halfway** (adv.) = *à mi-chemin ;* **around the world** = *autour du monde.*

'Katie? Hello?'

'Matt?'

'Hey, babe[1], how are you?'

Babe? He never called me babe. And who the hell[2] were all those people at eight o'clock on a Tuesday night?

'Hi[3]. I'm, uh, I'm great. Things were kind of tough in the beginning, what[4] with the jet lag and the foreign food and some of the weirdest[5] people in my group, but I have to say, it's really starting to-'

'That's my girl!' he interrupted enthusiastically, clearly putting on a show[6] for everyone else. 'Trekking[7] all the way through Vietnam by herself. I'm so proud of you, honey[8]!'

I heard a girl's voice ask who was on the phone and another one remind him that it was rude[9] to talk in the middle of dinner.

'Matt, who's there?'

'Oh, just some people from the office. We were going to all go out to eat, but they couldn't accommodate[10] ten people at Gramercy Tavern tonight, so I decided it was time to pull out[11] the old cooking skills[12].'

'You cooked?' I asked, still not comprehending[13].

---

1. **babe** (subs.) = **baby** = *fille, minette, poupée, gonzesse*; **a total babe** = *une nana canon*.

2. **who the hell ?** = *qui diable ?*; **what the hell !** = *que diable !, et merde !*

3. **hi** = **hello** = *salut !, hé !* (*pour attirer l'attention*).

4. **what with... and...** = *entre le... et le....*

5. **weird** (adj.) [wɪəʳd] = *mystérieux, bizarre, étrange*; **weirdoe** (subs.) = *drôle de type, excentrique*.

6. **to put on a show** = *monter un spectacle* (*pièce de théâtre*).

7. **to trek** = *faire un trajet long et pénible à pied, faire de la randonnée* (*pédestre*).

— Katie ? Allô ?

— Matt ?

— Hé, bébé, comment ça va ?

Bébé ? Il ne m'avait jamais appelé comme ça. Et qui diable étaient tous ces gens chez nous, à huit heures du soir, un mardi ?

— Salut. Je vais... euh... je vais très bien. Ça a été un peu dur au début, entre le décalage horaire, la cuisine étrangère et les gens les plus bizarres du groupe, mais je dois dire, ça commence vraiment à...

— C'est ma copine !, m'a-t-il interrompu avec enthousiasme, cherchant clairement à épater la galerie. Elle voyage au Vietnam à pied toute seule. Je suis si fier de toi, ma chérie !

J'entendis une voix de fille lui demander qui était au téléphone, et une autre lui rappeler qu'il était impoli de téléphoner à table.

— Matt, qui est avec toi ?

— Oh, juste des gens du bureau. On allait sortir tous ensemble pour dîner, mais ils ne pouvaient pas servir dix personnes ce soir à la Gramercy Tavern, alors j'ai décidé que c'était le moment de ressortir mes vieux talents de cuisinier.

— Tu as fait la cuisine ? demandai-je, toujours déconcertée.

---

8. **honey** (subs.) = *miel*, (am.) *chéri(e)*.

9. **rude** (adj.) = *impoli, mal élevé, obscène*.

10. **to accommodate** = *loger, recevoir, satisfaire* ; **accommodation** (subs.) = *logement, chambre*.

11. **to pull out** = *arracher, extraire* (dent), *tirer, sortir* ; **to pull** = *tirer*.

12. **skill** (subs.) = *aptitude, dextérité, talent, connaissance*.

13. **comprehending** (adj.) = *qui comprend, compréhensif* ; **to comprehend** = **to understand** = *saisir, comprendre*.

In the three years we'd been dating he hadn't made me anything more romantic than an omelet. I asked him all the time, of course, to show me what he'd learned from the two years he spent as a chef[1]-in-training before switching[2] to finance, but he was always too busy, too tired.

'Yeah, well I figured what the hell[3]. So listen, we're just getting started[4], but it's already morning there, right? Can I give you a call in a couple[5] of hour.'

'Matt, I'm standing in a post office that only sends or receives mail[6] once[7] a week, in a town so small it probably isn't even on the map[8], using the single international phone line – at eleven dollars a minute[9], mind you[10] – within a hundred and fifty mile radius[11], and you want to *call me back*?'

'Oh, hey, I didn't realize it was that[12] third-world there. Craziness[13]. How are you surviving? I bet the showers suck[14], don't they? And what about AC[15]? You can't possibly be dealing[16] without AC.'

And even though I'd spent a good amount of time complaining about both such things, it really pissed me off[17] that he was. I had, in fact, not showered in the past couple days, and I'd done it by choice.

---

1. NB : **chef** s'emploie également en anglais, mais uniquement dans le domaine de la cuisine ; *chef* (*au bureau*) = **boss**.

2. **to switch** (**for**) = (*é*)*changer* (*contre*).

3. **well I figured what the hell** = (litt.) *bon, je me suis dit bon sang allons-y !*

4. **to get** + objet + participe passé = **to have** + objet + participe passé = *faire faire qqch* ; ex. : **he must get his hair cut** = *il doit se faire couper les cheveux* ; **she had her purse stolen** = *elle s'est fait voler son porte-monnaie*.

5. **a couple of** = *quelques, un ou deux* ; **couple** (*subs.*) = *couple*.

6. **mail** (*subs.*) = *courrier* ; **mailbox** (*subs.*) = (*am.*) *boîte aux lettres*.

7. **once** = *one time* = *une fois* (*que*) ; **once a month** = *une fois par mois* ; **once upon a time** = *il était une fois*.

8. **map** (*subs.*) = *carte* (*géographique*), *plan*.

9. **a** est l'article indéfini ; il est utilisé dans le sens distributif : ex. : **cherries are one euro a pound** = *les cerises sont à un euro le kilo* (*un euro par kilo*).

Depuis trois ans que nous étions ensemble, il ne m'avait jamais rien préparé de plus romantique qu'une omelette. Je lui demandais tout le temps, évidemment, de me montrer ce qu'il avait appris pendant les deux ans qu'il avait passés en formation de chef cuisinier avant d'opter pour la finance, mais il était toujours trop occupé, trop fatigué.

— Oui, bon, je me suis dit Allez hop ! Alors écoute, on allait commencer, et c'est déjà le matin là-bas, non ? Je peux te rappeler d'ici deux heures ?

— Matt, je suis dans un bureau de poste qui envoie et reçoit du courrier une seule fois par semaine, dans une ville si petite qu'elle n'est probablement même pas sur les cartes, en train d'utiliser la seule liaison téléphonique internationale – à onze dollars la minute, soit dit en passant – dans un rayon de 150 km, et tu veux *me rappeler* ?

— Ah, oui, je ne m'étais pas rendu compte que c'était à ce point le tiers monde là-bas. C'est dingue. Comment tu fais pour tenir ? Je parie que les douches sont merdiques, non ? Et la clim' ? Tu ne peux pas t'en sortir sans clim'.

Et même si j'avais passé pas mal de temps à me plaindre de ces deux choses, ça m'a vraiment gonflée que lui le fasse. Je n'avais effectivement pas pris de douche depuis deux jours, et je l'avais fait par choix.

---

10. **mind you** = *remarque(z)* ; **never mind !** = *ça ne fait rien, tant pis !* ; **I don't mind** = *cela m'est égal*.

11. **radius** (subs.) = *rayon (d'un cercle)* ; **within a radius...** = *dans un rayon de...* ; *diamètre* = **diameter**.

12. **that** (adv.) = *si, aussi* ; **can you jump that high ?** = *peux-tu sauter aussi haut ?*

13. **craziness** (subs.) = **madness** = *folie* ; **crazy** (adj.) = **mad** = *fou, dingue*.

14. **to suck** = *têter, sucer*, (am., argot) *être merdique, naze*.

15. **AC = Air Conditioning** = *air conditionné = climatisation*.

16. **to deal with** = *avoir affaire à, traiter, négocier* ; **to deal** = *donner, distribuer (carte...)*, *dealer (drogues)*.

17. **to piss sb off** = *faire chier qqn* ; **to be pissed off** = *en avoir ras le cul*.

It felt good to get a little dirty once in a while[1], just like it felt good to sleep with a window open[2] to the sounds of the night with nothing more than a mosquito net[3] and a candle for company. There was something peaceful and sexy and exciting about it all at once[4], and besides, it was just a lot easier to accept it rather than[5] fight it all the time. I would've tried to explain it to him before, but something had shifted[6], and I was quite certain he wouldn't understand.

'Yeah, well, I'm dealing. Listen, I'll let you get back to your dinner party. Just wanted to ask you a question: what's your inseam?'

'My inseam? Why? You buying[7] me a pair of pants[8]? In *Vietnam*? Isn't everything there midget-sized[9]?' Gales[10] of laughter followed in the background.

'I'm in this amazing little place where they make the most wonderful copies of all the latest styles, and they have fabulous fabrics[11]. I was thinking that you might like linen ones with-'

'Honey, I totally appreciate the thought – really, I do – it's just that if I need a pair of pants custom made, I can get them in New York or London.

---

1. **while** (conj.) = *pendant que, tandis que*; **while** (subs.) = *temps, moment*; **after a while** = *au bout d'un moment, quelque temps plus tard.*
2. **to open** = *ouvrir*; **open** (adj.) = **opened** (participe passé) = *ouvert.*
3. **mosquito net** = *moustiquaire*; de **mosquito** = *moustique* et **net** = *filet.*
4. **at once** = *immédiatement, à la fois, tout à coup.*
5. **rather than** = *plutôt que.*
6. **to shift** = *changer de place, déplacer.*

C'était agréable d'être un peu sale de temps en temps, tout comme c'était agréable de dormir la fenêtre ouverte sur les bruits de la nuit, avec une moustiquaire et une bougie pour seule compagnie. Il y avait quelque chose à la fois de paisible, de sexy et d'excitant à faire cela, et de plus, il était bien plus facile d'accepter ces choses plutôt que de sans cesse les combattre. Avant, j'aurais essayé de lui expliquer tout cela, mais quelque chose avait changé, et j'étais presque sûre qu'il n'aurait pas compris.

— Ouais bon, je m'en sors. Écoute, je vais te laisser retourner à ton dîner, je voulais juste te poser une question : c'est quoi ta longueur de jambe ?

— Ma longueur de jambe ? Pourquoi ? Tu veux m'acheter un pantalon ? Au *Vietnam* ? Tout n'est pas taillé pour les nains là-bas ? Cette remarque déclencha de grands éclats de rire derrière lui.

— Je suis dans un étonnant petit village, où ils font des copies extraordinaires des plus récents modèles, et ils ont des tissus magnifiques. Je pensais que ceux en lin pourraient te...

— Chérie, merci pour l'attention – vraiment, je t'assure – mais si j'ai besoin d'un pantalon fait sur mesure, je peux l'acheter à New York ou à Londres.

---

7. **you buying** = **you are buying** ; il arrive que l'auxiliaire (et parfois le sujet) soient omis dans le langage familier.

8. **pair of pants** = *slip, caleçon,* (am.) *pantalon* ; *pantalon* = **trousers** (br.).

9. **midget-sized** (adj.) = *de petite taille* de **midget** = (subs.) *nain,* (adj.) *minuscule* et **size** = *taille.*

10. **gale** (subs.) = *vent violent, grand coup de vent.*

11. **fabric** (subs.) = *tissu, étoffe.*

Last time I checked, Asian countries were known for their sweatshops[1], not their couture[2]. I'd rather[3] you spend the money on showing yourself a good time[4], OK? Are you being safe[5]? Feeling OK?' The questions were perfunctory[6] and I could hear the urgency[7] to hang up in his voice.

'Yep,' I said numbly, wondering just briefly if he'd always been like this and I'd never seen it, or if he'd undergone[8] some awful[9] transformation within the last seven days. I pushed the obvious answer out of my mind. 'Everything's great. Say hi to everyone for me and I'll talk to you later. Love you.'

'You too, babe, you too. Call whenever[10] you can, OK? Love you.' And without a second's[11] hesitation on his part, there was a click.

I paid my $77 in Vietnamese dong and stumbled back[12] to the quaint[13] (read: no running water or electricity) little hotel we were staying at that night. I'd only woken up two hours earlier, but already my head was pounding[14] and I felt like I hadn't slept in years. I pulled on my headphones[15] and angrily scrolled through[16] the song list until I found Alanis Morrisette. And then, I slept.

---

1. **sweatshop** (subs.) = *atelier où les ouvriers sont exploités*; de **sweat** [swet], *sueur* et **shop**, *magasin, boutique*.

2. NB : **couture** s'emploie également en anglais, mais uniquement dans le sens de *haute-couture*.

3. **I'd rather** = **I would rather** = *je préférerais/je préfère*.

4. **to show a good time** = *passer du bon temps, s'amuser*; **to show** = *montrer*.

5. **safe** (adj.) = *en sécurité, à l'abri, sûr, sans danger*; **safety** (subs.) = *sécurité, sûreté*; **safety belt** = *ceinture de sécurité*.

6. **perfunctory** (adj.) = *rapide, sommaire, négligent*.

7. **urgency** (subs.) = *urgence*; **urgent** (adj.) = *urgent, pressant*.

8. **to undergo** (**underwent, undergone**) = *passer par, subir*.

9. **awful** (adj.) = *horrible, effroyable*; ex. : **what awful weather!** = *quel temps abominable!*

La dernière fois que je me suis renseigné, les pays d'Asie étaient plus connus pour les ateliers où les ouvriers sont exploités que pour leur haute-couture. Je préfère que tu dépenses ton argent pour t'amuser, OK ? Tu es en sécurité ? Tu te sens bien ?

Ses questions étaient mécaniques et je percevais clairement dans sa voix, sa hâte de raccrocher.

— Ouaip, dis-je mollement, en me demandant brièvement s'il avait toujours été comme ça et que je ne m'en étais jamais aperçue, ou s'il avait subi une horrible transformation pendant les sept derniers jours. Je repoussai la réponse la plus évidente hors de mon esprit. Tout va très bien. Dis bonjour à tout le monde pour moi, je te rappellerai plus tard. Je t'aime.

— Toi aussi, bébé, toi aussi. Appelle dès que tu peux, OK ? Je t'aime. Et sans une seconde d'hésitation, il raccrocha.

Je payai les 77 dollars que je devais en dongs vietnamiens et repartis en traînant les pieds jusqu'au pittoresque (comprenez : sans eau courante ni électricité) petit hôtel où nous logions cette nuit-là. Je n'étais levée que depuis deux heures, mais j'avais déjà la tête dans un étau et l'impression de ne pas avoir dormi depuis des lustres. J'ai mis mes écouteurs et fait rageusement défiler ma liste de chansons jusqu'à trouver Alanis Morrisette. Et puis, j'ai dormi.

---

10. **whenever** (conj.) = *toutes les fois que, chaque fois que*; **whatever** = *quoi que*; **wherever** = *où que*; **whoever** = *qui que*; ex. : **whatever he says...** = *quoi qu'il dise....*

11. **a second's hesitation** = *une hésitation d'une seconde.*

12. **to stumble** = *trébucher, faire un faux pas*; **to stumble back** = *rentrer en trébuchant* (comme souvent avec les « phrasal verbs », on traduit la préposition par un verbe et le verbe par un complément de manière).

13. **quaint** (adj.) = *curieux, étrange* (à propos de qqch qui évoque aussi une certaine nostalgie, le charme de l'ancien), *pittoresque.*

14. **to pound** = *frapper, battre à grands coups, résonner.*

15. **headphones** (subs.) = *casque, écouteurs*; *enceinte* (acoustique) = **speaker.**

16. **to scroll through** = *parcourir*; **to scroll** = *(faire) défiler.*

'Katie! Katie! Are you there? Open this goddamn[1] door immediatly!' It was Stephen's voice, and he sounded pissed[2].

I peeled[3] the little earpieces[4] from deep inside[5] my ears and wiped[6] the sweat from my brow[7] on my pillowcase. What time was it? Where was I? Where was everyone else? I felt drunk and disoriented and even a little scared. But the knocking continued.

I pulled open[8] the door to discover it was dark (where the hell had the whole day gone?) and that Stephen looked ready to pass out from[9] anxiety.

'Have you been here the whole[10] time?' he demanded angrily, pushing past me[11] to look around the room. 'Is anyone else here?'

'Oh, you mean[12] my charming boyfriend who flew all the way over to visit because he couldn't bear[13] to be without me? You just missed him.'

'Katie, *you* missed two group meetings and lunch and dinner today, with no explanation to anyone. Claire is just about to[14] call the police, but I told her to wait a few more minutes. What's going on[15] with you?'

---

1. **goddamn** (adj.) = *fichu, sacré, foutu, putain de*.

2. **pissed** (adj. am. argot) = *en rogne, en boule, furax*.

3. **to peel** = *peler, éplucher, décortiquer, (se) détacher*.

4. **earpiece** = *écouteur* de **ear** = *oreille* et **piece** = *morceau*; **earplug** = *bouchon d'oreille*.

5. **deep inside** (prép.) = *au plus profond de*; **deep inside** (adv.) = *profondément à l'intérieur*; **deep** (adj.) = *profond*.

6. **to wipe** = *essuyer*; **wipe** (subs.) = *coup de torchon, coup d'éponge, lingette*.

7. **brow** (subs.) = *front*; **eyebrow** = *sourcil*.

8. **I pulled open the door** = (litt.) *je poussai la porte pour l'ouvrir*.

9. **from** (prép.) = préposition qui indique l'origine = *de, depuis, à cause de* (comme ici)....

– Katie ! Katie ! Tu es là ? Ouvre cette maudite porte immédiatement ! C'était la voix de Stephen, et il avait l'air furax.

J'ôtai les petits écouteurs de mes oreilles et essuyai la sueur de mon front sur mon oreiller. Quelle heure était-il ? Où étais-je ? Où étaient les autres ? Je me sentais ivre, désorientée et même un peu effrayée. Mais les coups frappés à ma porte redoublèrent.

J'ouvris la porte pour découvrir qu'il faisait nuit (où diable était passée cette journée ?) et que Stephen avait l'air sur le point de s'évanouir d'angoisse.

— Est-ce que tu as passé toute la journée ici ?, a-t-il demandé avec colère, en me poussant pour entrer dans la chambre et regarder partout. Tu es seule ?

— Oh, tu fais sans doute allusion à mon adorable petit ami, qui a fait le voyage en avion jusqu'ici pour me rejoindre parce qu'il ne pouvait pas supporter mon absence ? Tu viens juste de le manquer.

— Katie, tu as raté deux réunions de groupe, le déjeuner et le dîner, sans donner aucune explication. Claire est à deux doigts d'appeler la police, mais je lui ai dit d'attendre encore un peu. Qu'est-ce que tu as ?

---

10. **whole** (adj.) = **entire** = *entier, complet.*

11. **pushing past me** = (litt.) *en passant devant moi en me poussant* ; **to run past** = *passer en courant.*

12. **to mean** (**meant, meant**) = *signifier, vouloir dire* ; attention **mean** (adj.) = *méchant.*

13. **to bear** (**bore, borne**) = *porter, supporter* ; ex. : **I can't bear this** = *je ne peux pas supporter cela.*

14. **to be about to do sth** = *être sur le point de faire qqch.*

15. **to go on** = *continuer*

'Oh God, this group is like a fucking[1] prison. I'm sorry. I had a really lousy[2] talk with Matt this morning and I came back here to mope[3] in private. I guess I fell asleep. For eight hours.'

'I see.' His brow furrowed[4].

'Really, I didn't mean to[5] worry everyone, although I appreciate that you even noticed[6] I was missing. My boyfriend apparently isn't even aware[7] that I'm gone. Actually, I take that back: he's fully aware and absolutely delighted, by the sound of things[8].'

Stephen stood up from his perch at the end of the bed and enveloped me in a bear hug[9]. I was relieved[10] to see that it felt warm and comfortable and not the least bit[11] sexual, and I think he was, too.

'Well, if it makes you feel any better[12], I got an email from a friend saying that he saw my ex – of two weeks now – out with one of my co-workers last night.' He looked miserable[13].

'I'm sure it was nothing. It could have been business, or they could've both been waiting for-'

'They were making out,' he said flatly[14]. 'Apparently there's been some overlap[15]. She broke up with me for him. And I really never had any idea[16]...'

'Oh.'

---

1. **fucking** (adj.) = *putain de*; **fuck!** = *putain!* (et bien d'autres expressions fleuries en fonction du contexte et du locuteur).

2. **lousy** (adj.) = *plein de poux* (ex. : **to be lousy with** = *grouiller de*), *affreux, sale, moche, minable*.

3. **to mope** = *être triste, être mélancolique, broyer du noir*.

4. **his brow furrowed** = (litt.) *son front se rida profondément*.

5. **to mean to** = *avoir l'intention de, vouloir*; ex. **I didn't mean to make her cry** = *je n'avais pas l'intention de la faire pleurer*.

6. **to notice** = *remarquer, s'apercevoir de, relever*.

7. **to be aware of sth** = *avoir connaissance de qqch, être conscient de qqch, être au courant de qqch*.

8. **by the sound of things** = (litt.) *par le son des choses, si on en croit ce qu'on entend*.

9. **a bear hug** = (litt.) *une étreinte d'ours, un gros câlin*; **to give sb a hug** = *étreindre qqn, serrer qqn dans ses bras*.

– C'est pas vrai, ce groupe, c'est une putain de prison. Je suis désolée. J'ai eu une conversation vraiment pourrie avec Matt ce matin, et je suis rentrée ici pour déprimer en privé. J'imagine que je me suis endormie. Pendant huit heures.

— Je vois. Il fronça les sourcils.

— Vraiment, je n'avais pas l'intention d'inquiéter qui que ce soit, même si je suis touchée que vous ayez remarqué que j'avais disparu. Apparemment mon petit ami ne s'est même pas rendu compte que j'étais partie. En fait, je retire : il s'en est parfaitement rendu compte et est absolument enchanté, d'après ce que j'ai entendu.

Stephen s'est levé de son perchoir au bout du lit et m'a serrée très fort dans ses bras. J'étais soulagée de constater que son geste était chaleureux et agréable et sans aucune connotation sexuelle, lui aussi je crois.

— Bon, si ça peut t'aider, j'ai reçu un e-mail d'un ami qui me dit qu'il a vu mon ex – dont je suis séparé depuis seulement deux semaines – en compagnie d'un de mes collègues, hier soir. Il avait l'air si malheureux.

— Je suis sûre que ce n'était rien. Ils se voyaient peut-être pour affaires, ou bien ils attendaient tous les deux que...

— Ils s'embrassaient, dit-il sèchement. Apparemment, il y a eu chevauchement. Elle m'a quitté pour lui. Et je ne me suis douté de rien...

— Oh.

---

10. **to relieve** = *soulager.*

11. **not the least bit sexual** = (litt.) *pas le moins du monde sexuel.*

12. **if it makes you feel any better** = (litt.) *si cela te permet de te sentir un peu mieux* ; **any** peut renforcer ou préciser le sens d'un comparatif.

13. **miserable** (adj.) = *malheureux, triste, déplorable, misérable, affreux* ; ex. : **he feels miserable** = *il a le cafard* ; **what a miserable day !** = *quelle journée épouvantable !*

14. **flatly** (adv.) = *nettement, carrément, sèchement* mais aussi *d'une façon monotone.*

15. **to overlap** = *recouvrir partiellement, avoir des points communs, se chevaucher.*

16. **not to have any idea (that)** = **to have no idea (that)** = *ne pas s'imaginer (que), ne pas avoir la moindre idée (de), ne pas savoir (que).*

He walked toward the door again and stepped out[1] into the space that was meant to be a courtyard but looked more like a landfill[2]. 'C'mon[3]. Get dressed. Actually, do me a favor and get showered and then dressed. We're getting drunk tonight. I'll tell Claire you're alive[4] so you don't have to deal with her and then we'll meet in front of the hotel in a half-hour, OK?'

I wanted nothing more than to recharge my iPod and crawl back[5] under the mosquito net, but he'd been so good to me and obviously needed a friend right now.

'Ok, sounds great[6]. I'll see you in a few[7].'

We hitched[8] a ride to Mr Tam's, a bar that *Lonely Planet* described as 'more Western than New York', and settled onto barstools[9] to wait for all the cheesy[10] love songs we'd picked[11] on the juke box. There wasn't much time to mock and belittle[12] our significant others[13], however, because just as Springsteen's 'Thunder[14] Road' was getting started, two girls from our group showed up[15].

'Oh God, they found us,' I muttered into my beer.

'They're not that bad. I spent all day with them, thanks to you, and they're actually kind of fun. Besides, it's not everyone.' And before I could slap his hand down, he was motioning them over[16].

---

1. **to step out** = *sortir en marchant*; **to step** = *faire des pas, marcher*; **step** (subs.) = *pas, marche (d'escalier)*.

2. **landfill** (subs.) = *décharge, remblai* de **land** = *terre* et **to fill** = *remplir*.

3. **c'mon !** = **come on !** = *allez !*

4. **alive** (adj.) = *vivant, en vie*.

5. **to crawl** = *ramper, se traîner, avancer lentement*.

6. **sounds great** = **it sounds great** = *ça a l'air super/génial*.

7. **in a few [minutes]** = *dans quelques minutes*.

8. **to hitch** = *accrocher, attacher, faire du stop*.

9. **barstool** (subs.) = *tabouret de bar*; **stool** = *tabouret*.

10. **cheesy** (adj.) = (litt.) *qui a le goût/l'odeur/la texture du fromage*, (am., argot) *moche, nul, ringard*.

Il retourna à la porte et sortit dans l'espace qui était censé être une cour, mais qui ressemblait plus à une décharge.

— Allez. Habille-toi. Ou mieux, fais-moi plaisir : prends une douche et ensuite habille-toi. On va se soûler ce soir. Je vais dire à Claire que tu es vivante, comme ça tu n'auras pas besoin de la voir et on se rejoint devant l'hôtel dans une demi-heure, d'accord ?

Moi tout ce que je voulais, c'était recharger mon iPod et retourner m'écrouler comme une larve sous ma moustiquaire, mais il était si gentil avec moi et il avait vraiment besoin d'une amie.

— OK, génial. À plus.

On nous a pris en stop jusqu'au bar Mr Tam's, que le *Lonely Planet* décrivait comme « plus occidental que New York » où on s'est installé sur des tabourets pour attendre toutes les chansons d'amour ringardes qu'on avait choisies dans le juke-box. Malheureusement, nous n'avons pas eu beaucoup de temps pour nous moquer et rabaisser nos ex-conjoints respectifs, car juste au moment où la chanson *Thunder Road* de Springsteen allait commencer, deux filles du groupe se sont pointées.

— Mon Dieu, nous sommes découverts, ai-je marmonné le nez dans ma bière.

— Elles ne sont pas si nulles. J'ai passé toute la journée avec elles, grâce à toi, et en fait elles sont plutôt marrantes. En plus, ce n'est pas tout le groupe.

Et avant que j'aie pu l'en empêcher, il leur faisait signe.

---

11. **to pick** = *choisir, sélectionner*.

12. **to belittle** = *rabaisser, déprécier*.

13. **my significant other** = (litt.) *mon autre important = mon conjoint, partenaire*.

14. **thunder** (subs.) = *tonnerre* ; *éclair* = **lightning**.

15. **to show up** = *démasquer, dénoncer, révéler* mais aussi *se présenter, s'amener*.

16. **before I could slap his hand down, he was motioning them over** = (litt.) *avant que je puisse rabaisser sa main d'un geste sec sur la table, il faisait un mouvement dans leur direction* ; **to slap** = *donner une tape, une claque*.

'Hey, guys[1]!'squealed one of the two Irish[2] girls. I still couldn't tell them apart[3]. 'Katie, I'm so glad you're OK. Although, it was great fun seeing Claire all panicked.'

'Yeah, I can't help[4] but hate her,' chimed in[5] the other one, much to my surprise. 'Do this, meet here, go there, be on time, wah, wah, wah. It's enough to make you want to slit your wrists[6]!'

I couldn't help laughing and moved over so they could sit down.

'This round[7]'s on me,' announced the first one who I think was named Shannon but may not have been.

'Easy to be a sport[8] when the drinks cost thirty-five cents, huh?' the other one laughed.

The four of us[9] had a few too many rounds and before I could say no, Stephen had dragged us all to the karaoke mic – the only technological item[10] that the Viets seemed to have down pat[11]. We belted out[12] horrid, drunken songs from everyone to the Spice Girls and Marvin Gaye and even threw in[13] a few Broadway[14] show tunes. By the time we stumbled back to the hotel it was almost time for our flight to Saigon, and I had forgotten all about my 'talk' with the *miserable* himself[15].

---

1. **hey, guys!** = *salut les gars, la compagnie, les amis!*

2. **Irish** (adj.) = *irlandais*; contrairement au français, les adjectifs de nationalité prennent toujours une majuscule en anglais.

3. **to tell apart** = *différencier, distinguer l'un de l'autre.*

4. **I can't help but hate her** = **I can't help hating her** = *je ne peux pas m'empêcher de la haïr.*

5. **to chime in** = *placer son mot, intervenir*; **to chime** = *carillonner, sonner.*

6. **it's enough to make you want to slit your wrists** = (litt.) *c'est assez pour te donner envie de t'ouvrir les (veines des) poignets.*

7. **round** (subs.) = *manche, tour (sport, élection), série, tournée.*

8. **sport** (subs.) = *sport*, mais aussi *type/fille sympa, beau joueur.*

9. **the four of us** = *nous quatre*; **the two of us** = *nous deux*; **all of us** = *nous tous.*

— Salut les amis ! cria une des deux Irlandaises d'une voix perçante. Je n'étais toujours pas capable de les distinguer l'une de l'autre. Katie, je suis vraiment contente que tu ailles bien. Même si c'était vraiment marrant de voir Claire totalement flippée.

— Ouais, je la déteste, je ne peux pas m'en empêcher, intervint la deuxième, à ma grande surprise. Faites ci, rendez-vous là, allez là, ne soyez pas en retard, et blablabla. Elle me donnerait presque des envies de suicide.

Je n'ai pas pu me retenir de rire et je me suis poussée pour qu'elles puissent s'asseoir.

— C'est ma tournée, annonça la première, qui s'appelait Shannon je crois, mais je n'en suis pas sûre.

— Facile d'être généreuse quand les boissons coûtent trente-cinq cents, hein ? a plaisanté la deuxième.

Tous les quatre, nous avons payé quelques tournées de trop et avant que je puisse refuser, Stephen nous avait traînées toutes les trois jusqu'au micro du karaoké – le seul article technologique que les Vietnamiens semblaient maîtriser totalement. Nous avons beuglé d'horribles chansons d'ivrognes des Spice Girls à Marvin Gaye et même ajouté quelques tubes de comédies musicales de Broadway. Le temps que nous rentrions à l'hôtel en titubant, c'était presque l'heure de notre vol pour Saigon, et j'avais tout oublié de ma « conversation » avec mon *pitoyable* petit ami.

---

10. **item** (subs.) = *article, produit.*

11. **to have sth down pat** = *maîtriser totalement.*

12. **to belt out** = *vociférer, gueuler, brailler* ; **to belt** = *donner des coups de ceinture, gifler* ; **belt** (subs.) = *ceinture, courroie.*

13. **to throw in** = *jeter dedans, ajouter, donner en plus* mais aussi *s'avouer vaincu, jeter l'éponge.*

14. **Broadway** est une avenue de Manhattan, à New York, particulièrement connue pour ses nombreux théâtres et les pièces et les comédies musicales qui y sont jouées (*West Side Story, Mamma Mia, La mélodie du bonheur, Cats...*).

15. **the miserable himself** = (litt.) *le pitoyable lui-même*

Saigon went by[1] in one wonderful blur[2] of French-Colonial buildings and night markets and a new-found[3] – although still tentative[4] – appreciation of Vietnamese food. Stephen and the Irish girls and myself had risen up[5] in a sort of mutiny against the others, and I was delighted to hear Shannon (which is definitely her name, I can now confirm) inform Claire that the four of us would be doing our own thing[6]. By the middle of the third[7] week we had it all figured out[8]: sleep in[9], have a leisurely[10] breakfast outside somewhere, and then rent[11] motorbikes to explore the city and outlying areas. Afternoons were spent by the pool[12] at the five-star hotels we crashed[13] with no problem simply because we were Westerners[14], and dinner was an adventure where we'd all force ourselves to try something new and usually unidentifiable. We went out at night, sometimes for a riverboat cruise and other nights just to have some drinks and dance, and we never, ever, ever followed a single 'suggestion' of Claire's[15]. When after four days the group was preparing to move on[16] to the mosquito-infested jungles of the Mekong Delta for the trip's final segment, I lost the rock-paper-scissors[17] and had to confront Claire myself.

---

1. **to go by** = *passer, s'écouler.*

2. **a wonderful blur** = (litt.) *un merveilleux brouillard*; **blur** (subs.) = *brouillard, paysage confus.*

3. **new-found** (adj.) = *tout neuf, nouveau.*

4. **tentative** (adj.) = *hésitant, provisoire.*

5. **to rise up** (**rose, risen**) = *se lever, se soulever, se révolter.*

6. **we would be doing our own thing** = (litt.) *nous ferions notre propre truc.*

7. **third** = (adj.) *troisième*, (subs.) *tiers.*

8. **figured out** = *calculé, décidé, prévu.*

9. **to sleep in** = *faire la grasse matinée, se réveiller en retard.*

10. **leisurely** ['leʒərlı] = (adj.) *tranquille, détendu, relax,* (adv.) *sans se presser*; **leisure** (subs.) = *loisirs.*

Notre séjour à Saigon est passé comme dans un rêve merveilleux où se sont succédé bâtisses coloniales françaises et marchés de nuit, et un tout nouveau goût pour la cuisine vietnamienne – bien que toujours hésitant. Stephen, les Irlandaises et moi avions fomenté une sorte de mutinerie contre les autres, et j'ai été enchantée d'entendre Shannon (définitivement, c'est comme ça qu'elle s'appelle, je peux le confirmer maintenant) informer Claire que tous les quatre, nous nous débrouillerions tout seuls. À la moitié de la troisième semaine, notre emploi du temps était réglé comme du papier à musique : grasse matinée, petit déjeuner tranquille dehors quelque part, puis location de scooters pour explorer la ville et les environs. Nous passions nos après-midi au bord de la piscine de l'hôtel cinq étoiles où nous faisions sans problème une sieste, simplement parce que nous étions Occidentaux ; quant aux dîners, c'était toujours une aventure : nous nous forcions tous à goûter quelque chose de nouveau et, en général, de non identifié. Le soir, nous sortions, parfois pour une croisière en bateau sur la rivière et d'autres fois juste pour prendre un verre et danser, et nous n'avons jamais, au grand jamais suivi une seule des « suggestions » de Claire. Quand, au bout de quatre jours, le groupe se préparait à gagner les jungles infestées de moustiques du delta du Mékong pour la dernière partie du voyage, j'ai perdu au jeu pierre-feuille-ciseaux et ai dû aller affronter Claire.

---

11. **to rent** = *louer (appartement, voiture...)*.

12. **pool** (subs.) = **swimming-pool** = *piscine* ; **pool** (subs.) = *mare, flaque, pièce d'eau*.

13. **to crash** = *retentir, s'écraser,* (argot) *roupiller, pioncer*.

14. **Westerner** (subs.) = *Occidental*.

15. **a single suggestion of Claire's** = *une seule suggestion de Claire*. Notez la construction anglaise : *un ami de mon père* = **a friend of my father's**, *un de mes amis* = **a friend of mine**.

16. **to move on** = *faire circuler, avancer, continuer son chemin*.

17. **Pierre-feuille-ciseaux** est un jeu qui se joue avec les mains ; la *pierre* bat les *ciseaux* (en les émoussant), les *ciseaux* battent la *feuille* (en la coupant), la *feuille* bat la *pierre* (en l'enveloppant).

'Um, we were just thinking that we're not quite ready to leave Saigon yet, so would you mind if we stayed behind[1] for a few more days?' I asked the night before our scheduled departure.

She looked at me with decidedly[2] un-chipper[3] gray[4] eyes and said through clenched[5] teeth, 'Do whatever you want. I'm sorry you're not all enjoying[6] the trip, but we have an itinerary and we need to follow it. I'll drop off[7] the release[8] forms tonight for you to sign. You're officially on your own after that.'

I thought about apologizing[9] some more and telling her how much we'd adored everything, but I just thanked her and walked out. The girls and Stephen were waiting in the hostel's bar and we toasted[10] our new-found freedom.

'So, we were thinking,' said Shannon with a sly[11] smile. 'Do you guys necessarily need to be back at the end of the week, or could we interest[12] you in coming with us to Cambodia?'

'You're going to Cambodia?' Stephen spluttered, his eyes widening[13] more every second. He'd been reading a boot-legged[14] copy of the *Lonely Planet Cambodia* the past few days and was dying[15] to visit, but he always referred to it as a 'someday trip'.

---

1. **to stay behind** = *rester en arrière*.

2. **decidedly** (adv.) = *décidément, de manière décidée*.

3. **chipper** (adj.) = *gai, vif*; **un-chipper** = *triste, morne*.

4. **gray** (adj.) = **grey** (am.) = *gris*.

5. **to clench** = *serrer (les dents, le poing)*.

6. **to enjoy** = *aimer, prendre plaisir à*; **to enjoy oneself** = *s'amuser, se divertir*.

7. **to drop** = *(laisser) tomber*; **to drop off** = *déposer*.

8. **release form** = *formulaire de décharge*; **release** (subs.) = *libération, délivrance*.

— Voilà, on se disait qu'on n'était pas encore prêts à quitter Saigon, donc est-ce que ça te dérangerait si on restait là quelques jours de plus ?, ai-je demandé le soir précédant notre départ prévu.

Elle m'a regardée de ses yeux gris et tristes et m'a dit, les dents serrées :

— Faites ce que vous voulez. Je suis désolée que le voyage ne vous plaise pas, mais nous avons un itinéraire à suivre. Ce soir je déposerai les formulaires de décharge à signer. Vous serez officiellement libres après ça.

J'ai envisagé de lui présenter nos excuses et de lui dire à quel point nous avions tout adoré, mais je me suis contentée de la remercier et de tourner les talons. Les filles et Stephen m'attendaient au bar de l'hôtel et nous avons trinqué à notre liberté retrouvée.

— Alors, on était en train de se dire, dit Shannon avec un sourire timide. Vous deux, est-ce que vous devez forcément être rentrés à la fin de la semaine, ou bien est-ce qu'on pourrait vous convaincre de venir avec nous au Cambodge ?

— Vous allez au Cambodge ?, a bredouillé Stephen, les yeux de plus en plus écarquillés. Il lisait un exemplaire pirate du *Lonely Planet* Cambodge depuis quelques jours et mourait d'envie d'y aller, mais il en parlait toujours comme d'un « prochain voyage ».

---

9. **to apologize for sth** = *s'excuser d'avoir fait qqch, présenter ses excuses pour qqch.*

10. **to toast** = *griller, faire griller, boire à la santé de.*

11. **sly** (adj.) = *rusé, malin, espiègle.*

12. **to interest sb in doing sth** = *intéresser qqn à qqch, convaincre qqn de faire qqch ;* **to be interested in** = *être intéressé par.*

13. **to widen** = *(s')élargir, (s')étendre ;* **wide** (adj.) = *large, vaste, ample.*

14. **to bootleg** = *produire / transporter / vendre illégalement, pirater, faire de la contrebande.*

15. **to be dying to do sth** = *mourir d'envie de faire qqch.*

'Yeah,' said Marge, Shannon's counterpart[1]. 'We have no lives, that's for sure[2]... nothing to rush[3] home to for us. So if you guys are game[4], we could catch a flight to Phnom Penh[5], check that out for a little, and then go by boat to Siem Reap to see Angkor. I've been reading up, and it looks pretty easy to do.'

Stephen was nodding[6] furiously. 'My girlfriend's sleeping with my co-worker and my editor[7] will be thrilled I'm going somewhere so exotic. He'll definitely assign[8] me a piece on something inane[9] and irrelevant[10], so I'm in[11]. Ohmigod[12], I've been dying to go there. Katie? You in?'

They all stared at me.

I'd taken an official leave[13] of absence from work before I left, figuring[14] I would spend a few weeks shopping and catching up[15] on stuff at home when I returned, so work wasn't the issue[16]. My parents would freak[17], of course, but I rather enjoyed that idea, and Isabelle would be thrilled. As far as Matt was concerned[18], well, I couln't decide what he would say. He'd either get really mad that I hadn't already returned, ashamed[19] and homesick[20], or wouldn't even notice that I was still gone. Either way, not my problem.

---

1. **counterpart** (subs.) = *homologue, équivalent, pendant.*
2. **for sure** = *pour sûr, bien sûr.*
3. **to rush** = *se précipiter, se ruer.*
4. **to be game to do sth** = *être partant pour faire qqch.*
5. **Phnom Penh** est la capitale du Cambodge, pays très connu pour le site archéologique d'**Angkor** (ancienne capitale de l'empire Khmer) constitué de nombreux temples, classé au Patrimoine Mondial de l'humanité et situé près de la ville de **Siem Reap.**
6. **to nod** = *faire un signe de tête (affirmatif).*
7. **editor** = *rédacteur en chef; éditeur* = **publisher.**
8. **to assign** = *assigner, affecter, attribuer.*
9. **inane** (adj.) = *inepte, stupide, niais.*
10. **irrelevant** (adj.) = *non pertinent, hors de propos.*

— Oui, dit Marge, le double de Shannon. Nous, on n'a pas de vie, c'est sûr... aucune raison de nous précipiter chez nous. Donc si vous êtes partants tous les deux, on pourrait attraper un vol pour Phnom Penh, visiter un peu puis prendre un bateau pour Siem Reap pour voir Angkor. J'ai lu les guides et ça a l'air assez facile.

Stephen acquiesçait avec enthousiasme.

— Ma petite amie couche avec un de mes collègues et mon rédacteur en chef va être super content que j'aille dans un endroit aussi exotique. C'est sûr, il va me confier un article sur un sujet inepte et inintéressant, donc moi, j'en suis. Mon Dieu, je mourais d'envie d'y aller. Katie ? Tu viens ?

Tout le monde me regardait.

J'avais pris un congé exceptionnel officiel avant de partir, en me disant qu'en rentrant, je passerais quelques semaines à faire du shopping et à en profiter pour faire des trucs à la maison, donc le boulot n'était pas le problème. Mes parents allaient flipper, c'est sûr, mais l'idée me plaisait plutôt et Isabelle serait folle de joie. Quant à Matt, je n'arrivais pas à savoir ce qu'il en dirait. Soit il ferait une crise parce que je n'étais pas déjà rentrée, honteuse et avec le mal du pays, soit il ne remarquerait même pas mon absence. De toute façon, ce n'était pas mon problème.

---

11. **to be in** = *être partant, en être* = **to be game**.

12. **Ohmigod** = **Oh my God !** = *Oh mon Dieu !*

13. **leave** (subs.) = *permission (militaire), autorisation* ; **leave of absence** = *autorisation d'absence*.

14. **to figure** = *se figurer, s'imaginer, se dire*.

15. **to catch up** = *(se) rattraper, combler son retard*.

16. **issue** (subs.) = *problème, question*.

17. **to freak (out)** = *piquer une crise, flipper, avoir les boules*.

18. **as far as...** = *pour autant que...*.

19. **ashamed** (adj.) = *honteux* ; **shame** (subs.) = *honte*.

20. **homesick** (adj.) = *qui a le mal du pays* ; de **home** = *maison* et **sick** (adj.) = *malade*.

'I'm in.'

And after a few minutes of celebrating and planning the next segment of our trip, I found[1] my way to an Internet café[2]. I only had a little time before I was meeting the rest of the group for a midnight drink[3] on the river, but I didn't have much to say anyway[4].

Dear Mom and Dad,

I'm not sure if either of you[5] have figured out[6] email yet, but you insist you have, so here goes... Just wanted to tell you that I'm having a wonderful time. I'm wearing sun block and eating enough and haven't gotten sick once, so I decided to extend my trip for a few weeks. I'm with some great people and there's nothing for you to worry about. I was having some trouble with Matt's email, so could you just forward this to him? That's 'File'[7] and then 'Forward'[8], OK? Love you both. Don't panic. Love, Katie

I lit a cigarette right at[9] my computer – one of the great joys of Third World countries – and opened a new window[10].

---

1. **to find one's way** (**found, found**) = *trouver son chemin, trouver sa voie.*

2. NB : **café** s'emploie également en anglais dans le sens de « café-restaurant ».

3. **a midnight drink** = (litt.) *un verre de minuit* ; **drink** (subs.) = *boisson, consommation, verre* ; **soft drink** = *boisson sans alcool.*

4. **anyway** (adv.) = *de toute façon, en tout cas.*

5. **either** (**of**) = *l'un et l'autre, l'un ou l'autre* ; ex. : **on either side** = *de chaque côté, des deux côtés* ; ex. : **I don't believe either of you** = *je ne vous crois ni l'un ni l'autre.*

— J'en suis.

Et après quelques minutes passées à fêter l'événement et à préparer la prochaine étape de notre voyage, je suis allée dans un café Internet. Je n'avais pas beaucoup de temps devant moi avant de rejoindre les autres pour un dernier verre sur la rivière, mais je n'avais pas grand-chose à écrire de toute manière.

Chère maman, cher papa,
Je ne suis pas sûre que l'un de vous deux sache se servir de la boîte mail, mais vous dites que si, alors voilà... Je voulais juste vous dire que je passe de super vacances. Je mets de l'écran total, je mange bien et je n'ai pas été malade une seule fois, donc j'ai décidé de prolonger mon voyage de quelques semaines. Je suis avec des gens très sympas et vous n'avez aucune raison de vous inquiéter. J'ai des problèmes avec l'adresse mail de Matt : vous pouvez juste lui faire suivre ce message ? C'est « Fichier » puis « Faire suivre », d'accord ? Je vous aime. Ne vous inquiétez pas.
Bisous, Katie.

J'ai allumé une cigarette devant l'ordinateur – une des grandes joies des pays du tiers monde – et ouvert une nouvelle fenêtre.

---

6. **to figure out** = *calculer, résoudre, comprendre, maîtriser.*

7. **file** (subs.) = *classeur, dossier.*

8. **to forward** = *faire suivre, expédier, envoyer* ; le mot anglais est passé en français, dans le langage informatique (« *forwarder* » = *faire suivre un mail*).

9. **right** (**adv.**) = *directement* ; **right now** = *tout de suite, immédiatement* ; **right here** = *ici même.*

10. **window** (subs.) = *fenêtre* (tant en langage courant qu'en langage informatique).

Dear Is,

Having[1] the best time[2] in Vietnam. Decided today to stay a bit longer and check out[3] Cambodia. Have heard amazing things so I'm excited. If you can swing[4] a week off from work, would love for you to join us... Anyway, sorry to be so short, but I have a quick favor[5] to ask: will you start checking out studios and one-bedrooms[6] for me and see what you find? I think it's time I tried[7] living alone for a little. Miss you SO much. Xoxo, K

And with that I logged off[8], expertly peeled off[9] the correct amount of dong, and went to join my friends for that drink.

---

1. **having** = **I am having** = *j'ai* ; notez l'omission des pronoms sujets dans le message.

2. **the best time** = (litt.) *le meilleur temps, moment.*

3. **to check out** = *quitter (un hôtel), vérifier, enquêter, essayer.*

4. **to swing** (**swung, swung**) = *se balancer, changer de direction, faire osciller.*

5. **favor** (am.) = **favour** (br.) = *faveur, service.*

6. **one-bedroom** (**flat**) = (litt.) (*un appartement*) *à une chambre = un deux pièces.*

Chère Is,

Je passe de super vacances au Vietnam. Aujourd'hui, j'ai décidé de rester un peu plus longtemps et de pousser jusqu'au Cambodge. J'ai entendu dire que c'était génial ; j'ai hâte. Si tu peux avoir une semaine de congé, j'adorerais que tu nous rejoignes... Bref, désolée d'être aussi rapide, mais j'ai une petite faveur à te demander : est-ce que tu pourrais regarder les annonces pour des studios et des deux pièces pour moi et voir ce que tu trouves ? Je crois qu'il est temps que j'essaye de vivre un peu toute seule. Tu me manques ÉNORMÉMENT. Bisous, K

Sur ce, je me suis déconnectée, j'ai compté d'une main experte la somme que je devais en dongs et je suis partie rejoindre mes amis pour boire un verre.

---

7. **I think it's time I tried** = (litt.) *je crois qu'il est temps que j'essaye* ; remarquez que **tried** est conjugué au prétérit en anglais et traduit par un subjonctif présent en français ; il s'agit d'un prétérit dit modal, qui permet d'exprimer une supposition, un souhait, une apparence (etc.), après **if**, **to wish**, **it's time**... Il se conjugue comme le prétérit simple.

8. **to log off** = *terminer une session, se déconnecter* ; **to log in = to log on** = *ouvrir une session, se connecter* ; même en français, le mot « login » est souvent utilisé à la place d' « *identifiant* » dans le langage informatique.

9. **to peel off** = *enlever, détacher, se déshabiller* ; **to peel** = *peler, éplucher, décortiquer, se détacher*.